Au

De

Über die wahre Religion

Lateinisch / Deutsch

Übersetzung und Anmerkungen
von Wilhelm Thimme

Nachwort von Kurt Flasch

Philipp Reclam jun. Stuttgart

RECLAMS UNIVERSAL-BIBLIOTHEK Nr. 7971
Alle Rechte vorbehalten
© für diese Ausgabe 1983 Philipp Reclam jun. GmbH & Co., Stuttgart
© für die Übersetzung und die Anmerkungen 1962 Artemis Verlags-AG,
Zürich
Gesamtherstellung: Reclam, Ditzingen. Printed in Germany 2006
RECLAM, UNIVERSAL-BIBLIOTHEK und
RECLAMS UNIVERSAL-BIBLIOTHEK sind eingetragene Marken
der Philipp Reclam jun. GmbH & Co., Stuttgart
ISBN-13: 978-3-15-007971-3
ISBN-10: 3-15-007971-3

www.reclam.de

De vera religione
Liber unus

Ein Buch über die wahre Religion

[I.1] *1*. Cum omnis vitae bonae ac beatae via in vera religione sit constituta, qua unus deus colitur et purgatissima pietate cognoscitur principium naturarum omnium, a quo universitas et inchoatur et perficitur et continetur, hinc evidentius error deprehenditur eorum populorum qui multos deos colere quam unum verum deum et dominum omnium maluerunt, quod eorum sapientes, quos philosophos vocant, scholas habebant dissentientes et templa communia. *2*. Non enim vel populos vel sacerdotes latebat de ipsorum deorum natura quam diversa sentirent, cum suam quisque opinionem publice profiteri non formidaret atque omnibus, si posset, persuadere moliretur; omnes tamen cum sectatoribus suis diversa et adversa sentientibus ad sacra communia nullo prohibente veniebant. *3*. Non nunc agitur quis eorum senserit verius, sed certe illud satis, quantum mihi videtur, apparet: aliud eos in religione suscepisse cum populo et aliud eodem ipso populo audiente defendisse privatim.

[II.2] *4*. Socrates tamen audacior ceteris fuisse perhibetur, iurando per canem quemlibet et lapidem quemlibet et quidquid iuraturo esset in promptu et quasi ad manum occurrisset. Credo, intellegebat qualiacumque opera naturae quae administrante divina providentia gignerentur, multo quam hominum et quorumlibet opificum esse meliora et ideo

[I.1] *1.* Den Zugang zu einem guten und glückseligen Leben eröffnet allein die wahre Religion, welche nur einen Gott verehrt und mit geläuterter Frömmigkeit als Ursprung aller Wesen erkennt, als den, der das Weltall anfänglich setzt, es vollendet und umfaßt. So wird der Irrwahn jener Völker, die lieber viele Götter als den einen wahren Gott und Herrn über alles verehren wollten, durch die Tatsache offenkundig enthüllt, daß ihre Weisen, die man Philosophen nennt, zwar verschiedene Schulen, gleichwohl aber gemeinsame Tempel hatten. *2.* Denn es konnte weder den Völkern noch ihren Priestern verborgen bleiben, wie abweichend voneinander die Ansichten dieser Philosophen über das Wesen der Götter waren. Keiner scheute sich ja, seine persönliche Meinung öffentlich zu vertreten und den Versuch zu machen, womöglich alle dafür zu gewinnen. Trotzdem liefen sie alle mitsamt ihren Gefolgsleuten, so verschieden und so widersprechend ihre Lehren waren, zu den gemeinsamen Opferfesten, und niemand hinderte sie daran. *3.* Jetzt handelt sich's nicht darum, wer von ihnen der Wahrheit am nächsten kam, sondern es mag genug sein, die, wie mir scheint, unbestreitbare Tatsache festzustellen, daß sie wohl öffentlich den herkömmlichen Kult mitmachten, dagegen privat, jedoch keineswegs heimlich, etwas ganz anderes verteidigten.

[II.2] *Sokrates und Plato zwar einsichtig, aber ängstlich*

4. Sokrates jedoch soll dreister als die übrigen gewesen sein, denn er schwur beim Hund oder Stein oder bei allem, was ihm sonst noch beim Schwören in den Sinn oder vor Augen kam. Er sah nämlich ein, glaube ich, daß alle beliebigen Erzeugnisse der Natur, die ihr Dasein der waltenden Vorsehung Gottes verdanken, viel besser als die Werke menschlicher Künstler und darum auch göttlicher Ehren würdiger

divinis honoribus digniora, quam ea quae in templis cole-
bantur, 5. non quo vere lapis et canis essent colenda sapientibus, sed ut hoc modo intellegerent qui possent, tanta superstitione demersos esse homines, ut emergentibus hic esset
tam turpis demonstrandus gradus, ad quem venire si pude-
ret, viderent quanto magis pudendum esset in turpiore con-
sistere. Simul et illos qui mundum istum visibilem summum
deum esse opinabantur admonebat turpitudinis suae, docens
esse consequens ut quilibet lapis tamquam summi dei parti-
cula coleretur; 6. quod si exsecrarentur, mutarent sententiam
et unum deum quaererent, quem solum supra mentes
nostras esse et a quo omnem animam et totum istum
mundum fabricatum. Postea suavius ad legendum quam
potentius ad persuadendum scripsit Plato. Non enim sic isti
nati erant ut populorum suorum opinionem ad verum cultum veri dei a simulacrorum superstitione atque ab huius
mundi vanitate converterent. 7. Itaque et ipse Socrates cum
populo simulacra venerabatur et post eius damnationem
mortemque nemo ausus est iurare per canem nec appellare
quemcumque lapidem Iovem, sed haec tantummodo memoriae litterisque mandare. Quod utrum timore an aliqua
cognitione temporum fecerint, iudicare non est meum.

[III.3] 8. Illud tamen fidentissime dixerim pace horum
omnium qui eorum libros pervicaciter diligunt, Christianis
temporibus quaenam religio potissimum tenenda sit et quae

sind als die Kultgegenstände in den Tempeln. 5. Er dachte
natürlich nicht, daß ein Weiser Steine oder Hunde wirklich
verehren sollte, sondern wollte auf diese Art ersichtlich
machen, in welchen Aberglauben die Menschen versunken
waren. Dadurch, daß er ihnen durch seine Schwurformeln
einen beschämenden Tiefstand religiöser Einsicht vorführte,
wollte er sie anregen, aufzuwachen und sich ihres noch
schimpflicheren Verhaltens erst recht zu schämen. Zugleich
wollte er auch diejenigen, die diese sichtbare Welt für die
höchste Gottheit hielten, tadelnd darauf hinweisen, daß sich
daraus die schimpfliche Folgerung ergeben würde, jeden
beliebigen Stein als Teilstück des höchsten Gottes zu ehren.
6. Wenn sie das aber verabscheuten, sollten sie ihre Meinung ändern und den einen Gott suchen, der allein, wie
feststeht, über den Menschengeist erhaben ist und alle Seelen
sowie diese ganze Welt geschaffen hat.[1] Nach ihm hat im
gleichen Sinne Plato geschrieben, freilich mehr gefällig zu
lesen als kraftvoll zu überzeugen. Denn diese Männer waren
noch nicht dazu berufen, den Sinn ihrer Volksgenossen zur
rechten Gottesverehrung hinzulenken und vom abergläubischen Götzendienst und der Eitelkeit dieser Welt zu
befreien. 7. So kam es, daß selbst ein Sokrates mit dem
Volke Götzenbilder verehrte. Nach seiner Verurteilung und
seinem Tode wagte es vollends niemand mehr, beim Hund
zu schwören und einen beliebigen Stein Jupiter zu nennen –
man hat das vielmehr nur schriftlich überliefert –, ob mehr
aus Furcht vor etwaiger Bestrafung oder aus Rücksicht auf
die Zeitverhältnisse, will ich dahingestellt sein lassen.

[III.3]   *Plato und Christus*

8. Das jedoch sage ich mit aller Zuversicht und ohne den
Widerspruch all derer befürchten zu müssen, die sich immer
noch für die Bücher jener Männer begeistern: Daran ist nicht
zu zweifeln, an welche Religion man sich in unserem christ-

ad veritatem ac beatitudinem via, non esse dubitandum. Si
enim Plato ipse viveret et me interrogantem non aspernare-
tur, vel potius, si quis eius discipulus eo ipso tempore quo
vivebat cum sibi ab illo persuaderetur non corporeis oculis
sed pura mente veritatem videri, cui quaecumque anima
inhaesisset eam beatam fieri atque perfectam, ad quam percipiendam nihil magis impedire quam vitam libidinibus dedi-
tam et falsas imagines rerum sensibilium quae nobis ab hoc
sensibili mundo per corpus impressae varias opiniones erro-
resque generarent; *9.* quamobrem sanandum esse animum ad
intuendam incommutabilem rerum formam et eodem modo
semper se habentem atque undique sui similem pulchritudinem nec distentam locis nec tempore variatam, sed unum
atque idem omni ex parte servantem, quam non crederent
esse homines cum ipsa vere summeque sit; cetera nasci
occidere fluere labi, et tamen in quantum sunt, ab illo
aeterno deo per eius veritatem fabricata constare; *10.* in
quibus animae tantum rationali et intellectuali datum ut eius
aeternitatis contemplatione perfruatur atque adficiatur ex ea
aeternamque vitam possit mereri; sed dum nascentium atque
transeuntium rerum amore ac dolore sauciatur et dedita
consuetudini huius vitae atque sensibus corporis inanibus
vanescit imaginibus, inridet eos qui dicunt esse aliquid quod
neque istis videatur oculis nec ullo phantasmate cogitetur,
sed mente sola et intellegentia cerni queat –, *11.* cum haec

lichen Zeitalter zu halten hat und welche uns den Weg zur
Wahrheit und Glückseligkeit eröffnet. Wenn nämlich Plato
selber noch lebte und mich nicht abwiese, falls ich ihn
befragte, oder vielmehr, wenn einer seiner Zeitgenossen und
Schüler ihm meine Frage vorlegte, so weiß ich, was er
antworten würde. Denn er hatte seinen Schülern klarge-
macht, daß man die Wahrheit nicht mit leiblichen Augen,
sondern nur mit reinem Geiste schaut, daß die Menschenseele, welche dieser Wahrheit anhangt, selig und vollendet
sein wird, und daß nichts so sehr daran hindert, zu ihr
durchzudringen, wie ein den Lüsten ergebenes Leben und
die trügerischen Bilder sinnenfälliger Dinge, welche uns
diese Sinnenwelt durch Vermittlung des Körpers zuführt
und dadurch die verschiedensten Mutmaßungen und Irrtümer erzeugt. *9.* Er hatte sie ferner belehrt, daß folglich die
Seele erst gesunden muß, um die unwandelbare Form der
Dinge und die stets unveränderliche, sich gleichbleibende
Schönheit zu schauen. Denn diese ist über räumliche Entfer-
nungen und zeitliche Übergänge erhaben und bleibt in jeder
Hinsicht eine und dieselbe. Die Menschen freilich wollen
nicht glauben, daß sie ist, obgleich sie doch wahrhaftig und
zuhöchst ist, während alles übrige entsteht und vergeht,
dahinfließt und schwankt und dennoch, soweit es ist, von
jenem ewigen Gott durch die Kraft seiner Wahrheit Dasein
und Bestand hat. *10.* Er hatte ihnen auch gesagt, daß es von
allen Geschöpfen allein der vernünftigen, geistigen Seele
verliehen ist, Gottes Ewigkeit schauend zu genießen und,
von ihr berührt und geziert, des ewigen Lebens teilhaftig zu
werden. Freilich, solange sie von der Liebe und dem
Schmerz der entstehenden und dahinschwindenden Dinge
verwundet und der Gewohnheit dieses Lebens und den
körperlichen Sinnen ergeben ist, verliert sie sich in eitlen
Einbildungen und verlacht die Edleren, die ihr sagen, es
gebe etwas, das man nicht mit leiblichen Augen erblicken,
nicht mit Phantasievorstellungen begreifen, sondern allein
geistig und intellektuell schauen kann. *11.* So hatten sie es

ergo sibi a magistro persuaderentur, si ex eo quaereret ille
discipulus utrum, si quisquam exsisteret vir magnus atque
divinus qui talia populis persuaderet credenda saltem si
percipere non valerent, ut si qui possent percipere non pravis
opinionibus multitudinis implicati vulgaribus obruerentur
erroribus, eum divinis honoribus dignum iudicaret, *12.* res-
ponderet, credo, ille, non posse hoc ab homine fieri nisi
quem forte ipsa dei virtus atque sapientia ab ipsa rerum
natura exceptum nec hominum magisterio, sed intima inlu-
minatione ab incunabulis inlustratum tanta honestaret gratia
tanta firmitate roboraret tanta denique maiestate subveheret,
ut omnia contemnendo quae pravi homines cupiunt et omnia
perpetiendo quae horrescunt et omnia faciendo quae miran-
tur genus humanum ad tam salubrem fidem summo amore
atque auctoritate converteret; *13.* de honoribus vero eius
frustra se consuli, cum facile possit existimari quanti honores debeantur sapientiae dei, qua gestante ille et gubernante
pro vera salute generis humani magnum aliquid proprium et
quod supra homines esset mereretur.

[4] *14.* Quae si facta sunt, si litteris monumentisque celebran-
tur, si ab una regione terrarum, in qua sola unus colebatur
deus et ubi talem nasci oportebat, per totum orbem terrarum
missi electi viri virtutibus atque sermonibus divini amoris
incendia concitarunt, si confirmata saluberrima disciplina
inluminatas terras posteris reliquerunt et, ne de praeteritis

von ihrem Lehrer gelernt. Nun also, angenommen, es fragt ihn jener Schüler, ob er wohl, wenn es einen großen und göttlichen Mann gäbe, der es fertigbrächte, das Volk zum Glauben an diese Wahrheiten, die es nicht begreifen kann, zu überreden und den wenigen, die es begreifen können, dazu zu verhelfen, daß sie nicht von den falschen Ansichten der Masse verwirrt und von den weitverbreiteten Irrtümern mit fortgerissen werden, ob er dann solch einen Mann nicht göttlicher Ehren für wert hielte. *12.* Plato würde, so meine ich, antworten, kein Mensch könne das leisten, wenn ihn nicht Gottes Kraft und Weisheit über die natürlichen Verhältnisse hinausgehoben, wenn sie ihn nicht ohne alle menschliche Belehrung, vielmehr durch innerlichste, schon in frühester Kindheit verliehene Erleuchtung mit solcher Gnade geadelt, mit solcher Kraft ausgerüstet, zu solcher Würde erhöht hätte, daß er alles verachten konnte, was gemeine Menschen sich wünschen, alles erdulden, wovor sie zurückschrecken, alles vollbringen, was sie bestaunen. Nur dann könnte er das Menschengeschlecht durch seine erhabene Liebe und Autorität zu solch heilsamem Glauben bekehren. *13.* Betreffs der Ehrungen, die man solchem Manne schulde, brauche man ihn nicht zu befragen. Denn jeder werde leicht einsehen, welche Ehre der Weisheit Gottes gebühre, von der getragen und geleitet jener das wahre Wohl der Menschheit bewirkt und solch großes, einzigartiges, alles Menschenmaß überragendes Verdienst sich erworben habe.[2]

[4] *14.* Ja, so hat es sich zugetragen, und in Schriften und Denkmälern wird es gefeiert. Aus jenem Erdenwinkel, wo man allein den wahren Gott verehrte und wo demnach jener Mann geboren werden sollte, wurden über den ganzen Erdkreis hin erlesene Männer ausgesandt, die durch ihre Tugenden und Predigten die Flammen göttlicher Liebe entfachten, heilsame Zucht einführten und alsdann die Länder den Nachkommen bereits erleuchtet hinterließen. Doch wir wollen nicht von Vergangenem sprechen, das manch einer

loquar quae licet cuique non credere, si hodie per gentes
populosque praedicatur: »In principio erat verbum et verbum erat apud deum et deus erat verbum. Hoc erat in
principio apud deum. Omnia per ipsum facta sunt et sine
ipso factum est nihil«; *15.* si ad hoc percipiendum, diligendum, perfruendum, ut anima sanetur et tantae luci hau-
riendae mentis acies convalescat, dicitur avaris: »Nolite
vobis condere thesauros in terra ubi tinea et rubigo exterminat et ubi fures effodiunt et furantur, sed thesaurizate vobis
thesaurum in caelo ubi neque tinea neque rubigo exterminat
neque fures effodiunt. Ubi enim est thesaurus tuus, ibi est et
cor tuum«; dicitur luxuriosis: »Qui seminat in carne, de
carne metet corruptionem; qui seminat in spiritu, de spiritu
metet vitam aeternam«; *16.* dicitur superbis: »Qui se exaltat
humiliabitur et qui se humiliat exaltabitur«; dicitur iracun-
dis: »Accepisti alapam, para alteram maxillam«; dicitur dis-
cordiosis: »Diligite inimicos vestros«; dicitur superstitiosis:
»Regnum dei intra vos est«; dicitur curiosis: »Nolite quaerere quae videntur, sed quae non videntur. Quae enim
videntur temporalia sunt, quae autem non videntur aeterna«;
postremo dicitur omnibus: »Nolite diligere mundum, quoniam ea quae in mundo sunt concupiscentia carnis est et
concupiscentia oculorum et ambitio saeculi«, [5] *17.* si haec
per totum orbem iam populis leguntur et cum veneratione
libentissime audiuntur, si post tantum sanguinem tantos
ignes tot cruces martyrum tanto fertilius et uberius usque ad
barbaras nationes ecclesiae pullularunt, si tot iuvenum et
virginum milia contemnentium nuptias casteque viventium

vielleicht nicht glaubt. Noch heute wird unter den Völkern und Geschlechtern verkündet: »Im Anfang war das Wort, und das Wort war bei Gott, und Gott war das Wort. Dasselbe war im Anfang bei Gott, alle Dinge sind durch dasselbe gemacht, und ohne dasselbe ist nichts gemacht, was gemacht ist.«[3] *15.* Und damit die Seele gesunde, um dies fassen, lieben und genießen zu können, und das Geistesauge sich kräftige, solch helles Licht zu schauen, wird den Habgierigen gesagt: »Ihr sollt euch nicht Schätze sammeln auf Erden, da sie die Motten und der Rost fressen und da die Diebe nachgraben und stehlen. Sammelt euch aber Schätze im Himmel, da sie weder Motten noch Rost fressen und da die Diebe nicht nachgraben und stehlen. Denn wo euer Schatz ist, da ist auch euer Herz.«[4] Den Schwelgern aber wird gesagt: »Wer auf sein Fleisch säet, der wird vom Fleisch das Verderben ernten, wer aber auf den Geist säet, der wird von dem Geist das ewige Leben ernten.«[5] *16.* Und den Hochmütigen: »Wer sich selbst erhöht, der soll erniedrigt werden, und wer sich selbst erniedrigt, der soll erhöhet werden.«[6] Den Zornmütigen: »So dir jemand einen Streich gibt auf deinen rechten Backen, dem biete den anderen auch dar.«[7] Den Streitsüchtigen: »Liebet eure Feinde.«[8] Den Abergläubischen: »Das Reich Gottes ist inwendig in euch.«[9] Den Neugierigen: »Sehet nicht auf das Sichtbare, sondern auf das Unsichtbare. Denn was sichtbar ist, das ist zeitlich, was aber unsichtbar ist, das ist ewig.«[10] Zuletzt aber wird allen gesagt: »Habt nicht lieb die Welt noch was in der Welt ist, denn alles, was in der Welt ist, das ist des Fleisches Lust und der Augen Lust und hoffärtiges Leben.«[11] [5] *17.* Das alles wird nunmehr in aller Welt der Menge vorgelesen und ehrfürchtig und willig angehört, und nach so viel Blutvergießen, so vielen Scheiterhaufen, so vielen Märtyrerqualen haben die christlichen Kirchen um so fruchtbarer und üppiger ihre Zweige bis zu den wilden Völkerschaften ausgebreitet. Schon wundert sich niemand mehr, daß Tausende von Jünglingen und Jungfrauen die Ehe verschmähen und keusch

iam nemo miratur – quod cum fecisset Plato usque adeo
perversam temporum suorum timuit opinionem ut perhi-
beatur sacrificasse naturae, ut tamquam peccatum illud abo-
leretur –, si haec sic accipiuntur ut quomodo antea talia
disputare, sic nunc contra disputare monstruosum sit, *18.* si
tali pollicitationi atque sponsioni per omnes terrarum partes
quas homines incolunt sacra christiana traduntur, si haec
cotidie leguntur in ecclesiis et a sacerdotibus exponuntur, si
tundunt pectora qui haec implere conantur, si tam innumerabiles adgrediuntur hanc viam ut desertis divitiis et honoribus huius mundi ex omni hominum genere uni deo summo
totam vitam dicare volentium desertae quondam insulae ac
multarum terrarum solitudo compleatur, *19.* si denique per
urbes atque oppida, castella vicos, agros etiam villasque
privatas in tantum aperte suadetur et appetitur a terrenis
aversio et in unum deum verumque conversio ut cotidie per
universum orbem humanum genus una paene voce respondeat sursum cor habere se ad dominum: quid adhuc oscita-
mus crapulam hesternam et in mortuis pecudibus divina
eloquia perscrutamur, si quando autem ad disputationem
venitur, Platonico nomine ora crepantia quam pectus vero
plenum magis habere gestimus?

[IV.6] *20.* Qui ergo sensibilem istum mundum contemnere
et animam virtute purgandam summo deo subicere atque
subiungere vanum aut malum putant, alia ratione refellendi
sunt, si tamen cum his dignum est disputare. Qui autem

leben. Als Plato das auch einst tun wollte, fürchtete er sich
doch so sehr vor der verkehrten Meinung seiner Zeitgenossen, daß er der Natur, die er verwünschte, das Opfer
gebracht haben soll, um so gewissermaßen seine Schuld zu
sühnen.[12] Heute nun haben die Anschauungen sich derma-
ßen gewandelt, daß, während man einst darüber stritt, es
jetzt Aufsehen erregen würde, wollte man dagegen streiten.
18. Jetzt ist dies Versprechen und Gelübde in allen bewohn-
ten Landen die Voraussetzung der Zulassung zu den geistlichen Weihen.[13] Täglich liest man es in den Kirchen, und die
Priester erläutern es. Die die Mahnung befolgen wollen,
schlagen an ihre Brust; zahllose Menschen beschreiten diesen Weg. So viele sind es aus allen Ständen, die Reichtum
und Ehren dieser Welt verlassen und dem einen und höchsten Gott ihr ganzes Leben weihen wollen, daß ehemals
verlassene Inseln und die Einöden vieler Länder sich füllen.
19. Überall, in Groß- und Kleinstädten, in Burgen, Dör-
fern, Landgütern und Privathäusern, wird die Abkehr von
der Welt und die Bekehrung zum einen wahren Gott so
nachdrücklich empfohlen und erstrebt, daß nunmehr das
Menschengeschlecht auf weitem Erdenrund täglich und fast
einstimmig die Antwort gibt: Droben bei dem Herrn haben
wir unsere Herzen.[14] Sollen wir nun noch länger gähnen,
ermüdet vom gestrigen Rausch, in Tierkadavern[15] göttliche
Orakel suchen und, wenn's zu Streitgesprächen kommt,
lieber Mäuler haben wollen, aus denen Platos Name tönt, als
Herzen, die angefüllt sind mit Wahrheit?[16]

[IV.6] *Christus hat erreicht, was Plato kaum erstrebt*

20. Diejenigen allerdings, die es für unnütz oder verkehrt
halten, diese Sinnenwelt zu verachten und die Seele durch
Tugend zu reinigen, um sie dem höchsten Gott zu unterwerfen und untertänig zu machen, müssen auf andere Weise zur
Vernunft gebracht werden, falls es sich überhaupt lohnt,

bonum et appetendum fatentur, cognoscant deum et cedant deo, per quem populis iam omnibus haec credenda persuasa sunt. *21.* Quod utique ab ipsis fieret si tantum valerent; aut si non fieret, crimen invidentiae vitare non possent. Ergo cedant ei a quo factum est, nec curiositate aut inani iactantia inpediantur quominus agnoscant quid intersit inter paucorum timidas coniecturas et manifestam salutem correctionemque populorum. *22.* Illi enim si reviviscerent, quorum isti nominibus gloriantur, et invenirent refertas ecclesias, templa deserta, a cupiditate bonorum temporalium atque affluentium ad spem vitae aeternae et bona spiritalia et intellegibilia vocari et currere humanum genus, dicerent fortasse, si tales essent quales fuisse memorantur: ›Haec sunt quae nos persuadere populis non ausi sumus et eorum potius consuetudini cessimus, quam illos in nostram fidem voluntatemque traduximus.‹ [7] *23.* Ita si hanc vitam illi viri nobiscum rursus agere potuissent, viderent profecto cuius auctoritate facilius consuleretur hominibus, et paucis mutatis verbis atque sententiis Christiani fierent, sicut plerique recentiorum nostrorumque temporum Platonici fecerunt. *24.* Aut si hoc non faterentur nec facerent in superbia et invidia remanentes, nescio utrum possent ad ea ipsa quae appetenda et desideranda esse dixerant cum istis sordibus viscoque revolare. Nam tertio vitio curiositatis in percontandis daemonibus, quo isti maxime cum quibus nunc agitur

sich mit ihnen abzugeben. Alle anderen aber, die es als gut und erstrebenswert gelten lassen, mögen den Gott erkennen und ihm gehorchen, der nunmehr allen Völkern zur Überzeugung verholfen hat, daß man dies glauben muß. *21.* Sie müßten es tun, wenn sie es könnten, oder sich, wenn sie es nicht täten, den Vorwurf der Böswilligkeit gefallen lassen. So mögen sie denn dem, der das zuwege gebracht hat, gehorchen und sich nicht durch Vorwitz oder eitle Überhebung daran hindern lassen, den Unterschied zwischen ängstlichen Vermutungen einiger weniger und der offenkundigen Rettung und Erziehung der Volksmassen zu erkennen. *22.* Denn wenn jene Männer, mit deren Namen sie sich brüsten, wieder zum Leben kämen und sähen die vollen Kirchen und verlassenen Tempel, sähen ferner, wie das Menschengeschlecht von der Gier nach den zeitlichen und vergänglichen Gütern weg und zur Hoffnung auf das ewige Leben sowie geistliche und geistige Güter hingerufen wird und dem Rufe auch folgt, dann würden sie wohl sagen, falls sie wirklich so wären, wie sie gewesen sein sollen: ›Das ist's, was wir nicht wagten, den Leuten ernsthaft nahezulegen. Haben wir uns doch statt dessen lieber ihren üblen Gewohnheiten angepaßt, statt sie zu dem, was wir glaubten und wollten, hinzuführen.‹ [7] *23.* Wenn also jene Männer noch einmal das Leben mit uns teilen könnten, würden sie ohne Zweifel einsehen, durch wessen Autorität den Menschen soviel leichter zurechtgeholfen wird. Dann brauchten sie nur wenige Worte und Ansichten zu ändern,[17] um selbst Christen zu werden. So haben es ja die meisten Platoniker unserer jüngsten Zeit gemacht. *24.* Oder wenn sie das nicht zugeben und daraus die nötige Folgerung ziehen wollen, sondern in Hochmut und Neid verharren, so weiß ich nicht, ob sie, mit solchem Schmutz und Leim behaftet, sich noch zu dem, was sie doch selbst begehrens- und erstrebenswert nannten, aufschwingen könnten. Denn daß sie auch dem dritten Laster, nämlich dem Vorwitz, der bei den Dämonen Rat sucht, verfallen könnten, wodurch die Heiden, mit

pagani a christiana salute revocantur, quia nimis puerile est,
nescio utrum tales illi praepedirentur viri.

[V.8] *25.* Sed quoquo modo se habeat philosophorum iactantia, illud cuivis intellegere facile est, religionem ab eis non
esse quaerendam qui eadem sacra suscipiebant cum populis
et de suorum deorum natura ac summo bono diversas con-
trariasque sententias in scholis suis eadem teste multitudine
personabant. Quod si hoc unum tantum vitium christiana
disciplina sanatum videremus, ineffabili laude praedicandam
esse neminem negare oporteret. *26.* Hereses namque tam
innumerabiles a regula Christianitatis aversae testes sunt non
admitti ad communicanda sacramenta eos qui de patre deo et
sapientia eius et munere divino aliter sentiunt et hominibus
persuadere conantur quam veritas postulat. Sic enim creditur
et docetur quod est humanae salutis caput, non aliam esse
philosophiam, id est sapientiae studium, et aliam religionem,
cum hi quorum doctrinam non approbamus nec sacramenta
nobiscum communicant. [9] *27.* Quod in illis minus miran-
dum est qui eorum quoque sacramentorum ritu dispares esse
voluerunt, sicut nescio qui Serpentini qui appellantur, sicut
Manichaei, sicut alii nonnulli. Sed in illis magis animadver-
tendum hoc magisque praedicandum, qui paria sacramenta
celebrantes, tamen quia sententia dispares sunt et errores
suos animosius defendere quam cautius corrigere maluerunt,
exclusi a catholica communione et a participatione quamvis
parium sacramentorum propria vocabula propriosque con-
ventus non in sermone tantum, sed etiam in superstitione

denen wir es zu tun haben, meist vom christlichen Heil
ferngehalten werden, kann ich mir nicht vorstellen, da es zu
kindisch wäre.

[V.8]   *Wo die wahre Religion zu suchen ist*

25. Doch wie sich jene eingebildeten Philosophen auch
verhalten mögen, dies wird jeder leicht einsehen, daß man
bei denen die wahre Religion nicht zu finden erwarten kann,
die am heidnischen Kult teilnahmen und zugleich über das
Wesen ihrer Götter und das höchste Gut in ihren Schulen
vor jedermann verschiedene, ja entgegengesetzte Ansichten
äußerten. Niemand sollte bestreiten, daß die christliche
Lehre, auch wenn sie nur diesen zuletzt genannten Unfug
beseitigt hätte, den denkbar höchsten Lobpreis verdienen
würde. 26. Denn die unzähligen Häresien, die von der
christlichen Glaubensregel abweichen, können es bezeugen,
daß niemand zu den Sakramenten zugelassen wird, der vom
Vatergott und seiner Weisheit und der göttlichen Geistes-
gabe eine andere Ansicht vertritt und für sie wirbt, als die
Wahrheit es vorschreibt. Wir Christen glauben und lehren
ja, und unser Heil hängt daran, daß Philosophie, das heißt
Weisheitsstreben, und Religion nicht voneinander verschieden sind. So können denn diejenigen, deren Lehre wir
ablehnen, nicht an unseren Sakramenten Anteil haben.
[9] 27. Das versteht sich freilich bei denen von selbst, deren
Sakramentsbräuche von den unseren abweichen, wie bei den
sogenannten Serpentinern[18], den Manichäern und einigen
anderen. Aber bemerkenswerter und mehr hervorzuheben
ist es bei denen, die die gleichen Sakramente feiern wie wir,
aber weil sie abweichende Ansichten vertreten und ihre
Irrtümer lieber dreist verteidigen als vorsichtig richtigstellen
wollten, von der katholischen Gemeinschaft und der Teil-
nahme an den obzwar gleichen Sakramenten ausgeschlossen
wurden. Diese haben eigene Namen und eigene Konventikel

meruerunt, ut Photiniani et Arriani multique praeterea.
28. Nam de his qui schismata fecerunt alia quaestio est.
Posset enim eos area dominica usque ad tempus ultimae
ventilationis velut paleas sustinere, nisi vento superbiae
nimia levitate cessissent et sese a nobis ultro separassent.
Iudaei vero quamvis uni omnipotenti deo supplicent, sola
tamen temporalia et visibilia bona de illo expectantes rudi-
menta novi populi ab humilitate surgentia in ipsis suis
scripturis nimia securitate noluerunt advertere atque ita in
vetere homine remanserunt. *29.* Quae cum ita sint, neque in
confusione paganorum neque in purgamentis hereticorum
neque in languore schismaticorum neque in caecitate Iudae-
orum quaerenda religio est, sed apud eos solos qui Christiani catholici vel orthodoxi nominantur, id est integritatis
custodes et recta sectantes.

[VI.10] *30.* Haec enim ecclesia catholica per totum orbem
valide lateque diffusa omnibus errantibus utitur ad provectus
suos et ad eorum correctionem cum evigilare voluerint.
Utitur enim gentilibus ad materiam operationis suae, hereticis ad probationem doctrinae suae, schismaticis ad docu-
mentum stabilitatis suae, Iudaeis ad comparationem pulchritudinis suae. *31.* Alios ergo invitat, alios excludit, alios
relinquit, alios antecedit, omnibus tamen gratiae dei partici-

und unterscheiden sich von uns nicht nur durch ihre Reden, sondern auch ihren Aberglauben.[19] Es sind das die Photinianer[20], Arianer und viele andere. *28.* Noch anders verhält es sich mit den Schismatikern. Diese könnte nämlich die Tenne des Herrn wie Spreu bis zur letzten Zeit, wo geworfelt wird, wohl ertragen, wenn sie nicht, weil allzu leicht, durch den Wind des Hochmuts fortgeblasen wären und sich mutwillig von uns getrennt hätten. Die Juden endlich beten zwar zum einen und allmächtigen Gott; aber weil sie nur zeitliche und sichtbare Güter von ihm erwarten, haben sie die Keime eines neuen, aus der Demut aufsprossenden Volkes, wie sie sich in ihren eigenen Schriften zeigen, in allzu großer Sicherheit unbeachtet gelassen und sind im alten Menschen steckengeblieben. *29.* So ist die wahre Religion weder im Wirrwarr des Heidentums noch im Unflat der Ketzer, weder bei der Krankhaftigkeit der Sektierer noch bei der Blindheit des Judentums zu suchen, sondern allein bei denen, die Christen, Katholiken und Rechtgläubige genannt werden, da sie Wächter der Reinheit und Wanderer auf dem rechten Wege sind.

[VI.10]   *Die katholische Kirche in ihrem Verhältnis zu Schismatikern, Häretikern, Scheinchristen und Exkommunizierten*

30. Diese katholische Kirche, kraftvoll und weithin über den Erdkreis ausgebreitet, geht mit allen Irrenden in der Weise um, daß sie selber dadurch gewinnt, die Irrenden aber, wenn sie nur aus dem Schlaf erwachen wollen, zurechtgebracht werden. Die Heiden dienen ihr als Feld ihres Wirkens, die Häretiker zur Prüfung ihrer Lehre, die Schismatiker, um ihre Beständigkeit unter Beweis zu stellen, die Juden, um durch den Vergleich ihre Schönheit zu offenbaren. *31.* So lädt sie die einen ein, schließt die anderen aus, läßt die einen hinter sich, geht den anderen voran. Allen aber

pandae dat potestatem, sive illi formandi sint adhuc sive
reformandi sive recolligendi sive admittendi. Carnales autem
suos, id est viventes aut sentientes carnaliter, tamquam
paleas tolerat, quibus in area frumenta tutiora sunt donec
talibus tegminibus exuantur. *32.* Sed quia in hac area pro
voluntate quisque vel palea vel frumentum est, tamdiu susti-
netur peccatum aut error cuiuslibet, donec aut accusatorem
inveniat aut pravam opinionem pertinaci animositate defen-
dat. Exclusi autem aut paenitendo redeunt aut in nequitiam
male liberi defluunt ad ammonitionem nostrae diligentiae
aut schisma faciunt ad exercitationem nostrae patientiae aut
heresim aliquam gignunt ad examen sive occasionem nostrae
intellegentiae. Hi sunt exitus Christianorum carnalium qui
non potuerunt corrigi aut sustineri.

[11] *33.* Saepe etiam sinit divina providentia per nonnullas
nimium turbulentas carnalium hominum seditiones expelli
de populo christiano etiam bonos viros. Quam contumeliam
vel iniuriam suam cum patientissime pro ecclesiae pace
tulerint neque ullas novitates vel schismatis vel heresis moliti
fuerint, docebunt homines quam vero affectu et quanta
sinceritate caritatis deo serviendum sit. *34.* Talium igitur
virorum propositum est aut sedatis remeare turbinibus, aut
si id non sinantur, vel eadem tempestate perseverante vel ne
suo reditu talis aut saevior oriatur, tenent voluntatem consu-
lendi etiam eis ipsis quorum motibus perturbationibusque
cesserunt, sine ulla conventiculorum segregatione usque ad
mortem defendentes et testimonio iuvantes eam fidem quam
in ecclesia catholica praedicari sciunt. *35.* Hos coronat in

erschließt sie die Möglichkeit, an Gottes Gnade Anteil zu bekommen, mögen sie nun bekehrt oder gebessert, wiederhereingeholt oder zugelassen werden. Die Fleischesmenschen dagegen in ihrer eigenen Mitte, das heißt die fleischlich leben oder gesinnt sind, duldet sie wie die Spreu auf der Tenne, die als Hülse zum Schutz des Getreides dient, bis dieses sich davon ablöst. *32.* Da nun auf dieser Tenne jeder nach eigenem Willen Spreu oder Getreide ist,[21] läßt man eines jeden Sünde oder Irrtum so lange gewähren, bis sich entweder ein Ankläger findet oder bis er seine verkehrte Gesinnung hartnäckig verteidigt. Die Ausgeschlossenen aber kehren entweder bußfertig zurück, oder aber sie versinken, ihre Freiheit mißbrauchend, in völlige Verderbtheit und mahnen uns dadurch zu erhöhter Sorgfalt. Sie verursachen nämlich entweder eine Spaltung und üben damit unsere Geduld, oder sie bringen eine Ketzerei auf und geben dadurch Anlaß, unsere Einsicht zu prüfen und zu bewähren. Dahin kommt es mit den fleischlichen Christen, die weder gebessert noch geduldet werden konnten.

[11] *33.* Häufig läßt es die göttliche Vorsehung auch zu, daß bei stürmischen, durch fleischliche Menschen verursachten Wirren auch gute Männer aus der christlichen Gemeinschaft ausgestoßen werden. Diese aber tragen die Schmach und das Unrecht um des kirchlichen Friedens willen mit größter Geduld, bringen keine neue Spaltung und Ketzerei auf und geben dadurch den Leuten ein Vorbild, mit welch herzlicher und lauterer Liebe man Gott dienen soll. *34.* Ihre Absicht ist es, wenn der Sturm sich gelegt hat, wieder zurückzukehren, oder wenn das nicht angeht, weil entweder das Unwetter noch anhält oder vielleicht, veranlaßt durch ihre Rückkehr, von neuem und noch ärger losbrechen könnte, bleiben sie doch nach wie vor auf das Wohl auch derer bedacht, die sie durch ihr wildes Treiben zum Weichen zwangen, und verteidigen bis zum Tode und stützen durch ihr Zeugnis ohne jede Konventikelbildung den Glauben, der in der katholischen Kirche verkündet wird. *35.* Diese krönt im Verborge-

occulto »pater in occulto videns«. Rarum hoc videtur genus, sed tamen exempla non desunt; immo plura sunt quam credi potest. Ita omnibus generibus hominum et exemplorum ad animarum curationem et ad institutionem spiritalis populi utitur divina providentia.

[VII.12] *36.* Quam ob rem cum ante paucos annos promiserim tibi scribere, carissime mihi Romaniane, quid de vera religione sentirem, tempus nunc esse arbitratus sum, postquam tuas acerrimas interrogationes sine ullo certo fine fluctuare ea caritate qua tibi obstrictus sum, diutius sustinere non possem. *37.* Repudiatis igitur omnibus qui neque in sacris philosophantur nec in philosophia consecrantur, et his qui vel prava opinione vel aliqua simultate superbientes a regula et communione ecclesiae catholicae deviarunt, et his qui sanctarum scripturarum lumen et spiritalis populi gratiam quod novum testamentum vocatur habere noluerunt, quos quanta potui brevitate perstrinxi, tenenda est nobis christiana religio et eius ecclesiae communicatio quae catholica est et catholica nominatur non solum a suis, verum etiam ab omnibus inimicis. *38.* Velint nolint enim ipsi quoque heretici et schismatum alumni, quando non cum suis, sed cum extraneis loquuntur, catholicam nihil aliud quam catholicam vocant. Non enim possunt intellegi nisi hoc eam nomine discernant quo ab universo orbe nuncupatur. [13] *39.* Huius religionis sectandae caput est historia et pro-

nen »der Vater, der ins Verborgene sieht«.[22] Dieserart Menschen scheinen selten zu sein, doch fehlt es nicht an Beispielen;[23] ja sie sind zahlreicher als man denkt. So gebraucht die göttliche Vorsehung für ihre Zwecke alle Arten von Menschen und Beispielen zum Heil der Seelen und zur Erbauung des geistlichen Volkes.

[VII.12]   *Nur in der katholischen Kirche*
      kann Romanians Verlangen gestillt werden

36. Schon vor einigen Jahren versprach ich dir, liebster Romanianus, meine Meinung über die wahre Religion dir schriftlich mitzuteilen,[24] und halte nunmehr die Zeit für gekommen. Denn da deine Ansichten immer noch ohne festes Ziel hin und her schwanken, kann ich mich deinen bedrängenden Fragen nicht länger entziehen. Das duldet die Liebe nicht, die ich dir schulde. *37.* Ich habe nun bereits in möglichster Kürze zurückgewiesen einmal die, welche wohl gottesfürchtig sind, aber unweise, oder wohl weisheitsbeflissen, aber nicht gottesfürchtig, sodann die, welche infolge verkehrter Ansichten oder aus Streitsucht und Hochmut von der Glaubensregel und Gemeinschaft der katholischen Kirche abgewichen sind, endlich auch die, welche das Licht der heiligen Schriften und die Gnade des geistlichen Volks im sogenannten neuen Bunde verschmähten.[25] So bleibt uns nur noch übrig, uns an die christliche Religion zu halten und an die Gemeinschaft der katholischen Kirche, die katholisch ist und nicht nur von ihren Gliedern, sondern auch von allen ihren Feinden katholisch genannt wird. *38.* Denn auch die Ketzer und Anhänger der Sekten nennen, sie mögen wollen oder nicht, wenn sie nicht mit ihresgleichen, sondern Fremden sprechen, die katholische Kirche nicht anders als eben katholisch. Denn man könnte sie nicht verstehen, wenn sie sie nicht mit dem Namen kennzeichneten, den alle Welt nun einmal gebraucht. [13] *39.* Treten wir nun an die Betrach-

phetia dispensationis temporalis divinae providentiae pro
salute generis humani in aeternam vitam reformandi atque
reparandi. Quae cum credita fuerit, mentem purgabit vitae
modus divinis praeceptis conciliatus et idoneam faciet spiritalibus percipiendis – quae nec praeterita sunt nec futura sed
eodem modo semper manentia, nulli mutabilitati obnoxia –,
id est, unum ipsum deum patrem et filium et spiritum
sanctum. *40.* Qua trinitate quantum in hac vita datum est
cognita, omnis intellectualis et animalis et corporalis creatura ab eadem trinitate creatrice esse in quantum est et
ordinatissime administrari sine ulla dubitatione perspicitur;
non ut aliam partem totius creaturae fecisse intellegatur pater
et aliam filius et aliam spiritus sanctus, sed et simul omnia et
unamquamque naturam patrem fecisse per filium in dono
spiritus sancti. *41.* Omnis enim res vel substantia vel essentia
vel natura, vel si quo alio verbo melius enuntiatur, simul
habet haec tria: ut et unum aliquod sit et specie propria
discernatur a ceteris et rerum ordinem non excedat.

[VIII.14] *42.* Quo cognito satis apparebit, quantum homo
adsequi potest, quam necessariis et invictis et iustis legibus
deo et domino suo cuncta subiecta sint. Ex quo illa omnia
quae primo credidimus, nihil nisi auctoritatem secuti, partim

tung dieser Religion heran, so muß uns als erster Hauptge-
genstand die Geschichte und Weissagung der zeitlichen Veranstaltung beschäftigen, wodurch die göttliche Vorsehung
das Menschengeschlecht zum ewigen Leben erneuern und
zubereiten wollte. Wenn man hieran glaubt, wird eine den
göttlichen Geboten folgsame Lebensweise den Geist reinigen und fähig machen, die geistigen Wahrheiten zu fassen,
die weder vergangen sind noch zukünftig, sondern stets sich
selbst gleich und keinem Wandel unterworfen, nämlich den
einen Gott, Vater, Sohn und Heiligen Geist. 40. Hat man
diese Dreieinigkeit erkannt, soweit es in diesem Erdenleben
möglich ist, wird man auch ohne jeden Zweifel einsehen,
daß alle geistige, seelische und körperliche Kreatur von eben
dieser schöpferischen Dreieinigkeit das Sein empfängt,
soweit sie dessen teilhaftig werden kann, desgleichen auch
gestaltet und aufs beste in Ordnung gehalten wird. Dies
jedoch nicht so, daß der Vater etwa nur einen Teil der
gesamten Schöpfung hervorbrächte, der Sohn einen anderen
und der Heilige Geist noch einen andern, sondern der Vater
hat durch den Sohn und mit der Gabe des Heiligen Geistes
sowohl alles zugleich als auch jedes einzelne Wesen geschaffen. 41. Denn jedes Ding, jede Substanz oder Wesenheit
oder Natur, oder wie man es sonst nennen mag, hat zugleich
dreierlei Eigenschaften: Es ist Eines, hat seine besondere
unterscheidende Gestalt und ist der Ordnung des Alls einge-
gliedert.[26]

[VIII.14]   *Vom Autoritätsglauben zu vernünftiger
                        Einsicht*

42. Hat man dies erkannt, wird man auch darüber klar
werden, soweit menschliches Auffassungsvermögen reicht,
nach welch nötigen, unwiderstehlichen und gerechten Gesetzen die Welt ihrem Gott und Herrn unterworfen ist.
Demzufolge kann all das, was wir zunächst auf bloße Auto-

sic intelleguntur ut videamus esse certissima, partim sic ut videamus fieri posse atque ita fieri oportuisse doleamusque illos haec non credentes, qui nos antea credentes inridere quam nobiscum credere maluerunt. *43.* Non enim iam illa hominis sacrosancta susceptio et virginis partus et mors filii dei pro nobis et resurrectio a mortuis et in caelum ascensio et consessus ad dexteram patris et peccatorum abolitio et iudicii dies et corporum resuscitatio, cognita aeternitate trinitatis et mutabilitate creaturae, creduntur tantum et non etiam iudicantur ad summi dei misericordiam, quam generi humano exhibet, pertinere.

[15] *44.* Sed quoniam verissime dictum est: »Oportet multas hereses esse ut probati manifesti fiant inter vos«, utamur etiam isto divinae providentiae beneficio. Ex his enim hominibus heretici fiunt qui, etiamsi essent in ecclesia, nihilominus errarent. Cum autem foris sunt plurimum prosunt, non verum docendo quod nesciunt, sed ad verum quaerendum carnales et ad verum aperiendum spiritales catholicos excitando. *45.* Sunt enim innumerabiles in sancta ecclesia deo probati viri, sed manifesti non fiunt inter nos, quamdiu imperitiae nostrae tenebris delectati dormire malumus quam lucem veritatis intueri. Quapropter multi ut diem dei videant et gaudeant, per hereticos de somno excitantur. Utamur ergo etiam hereticis non ut eorum approbemus errores, sed

rität hin glaubten, zum Teil so eingesehen werden, daß es für vollkommen gewiß gelten muß, zum anderen Teil wenigstens so, daß wir begreifen, es habe geschehen können, und es sei auch angebracht gewesen, daß es geschehe.[27] So müssen wir diejenigen bedauern, die es nicht glauben und die uns, die wir uns entschlossen haben, zunächst zu glauben, lieber verlachen als sich uns anschließen wollen. *43.* Denn nunmehr wird jene hochheilige Menschwerdung, die Jungfrauengeburt, der Tod des Gottessohnes für uns, seine Auferstehung von den Toten und Himmelfahrt sowie sein Sitzen zur Rechten des Vaters, ferner die Tilgung der Sünden, der Tag des Gerichts und die Auferweckung der Leiber, nunmehr wird dies alles, nachdem einmal die Ewigkeit der Trinität und die Wandelbarkeit der Kreatur erkannt ist, nicht nur geglaubt, sondern auch geurteilt, daß all dies der Barmherzigkeit Gottes zu verdanken ist, der es dem Menschengeschlecht gewährt hat.

[15] *44.* Da die Schrift jedoch mit voller Wahrheit sagt: »Es muß viele Parteiungen geben, damit die Bewährten unter euch offenbar werden«,[28] wollen wir auch diese Wohltat der göttlichen Vorsehung ausnutzen. Aus solchen Menschen werden nämlich Häretiker, die auch dann irren würden, wenn sie in der Kirche blieben. Da sie aber draußen sind, können sie größten Nutzen stiften, nicht dadurch, daß sie die Wahrheit lehren, die sie ja nicht wissen, sondern dadurch, daß sie die fleischlichen Glieder der katholischen Kirche anregen, die Wahrheit zu suchen, die geistlichen dagegen, sie zu klären. *45.* Es gibt ja ungezählte bewährte Männer in der katholischen Kirche, die wir bloß nicht kennen, solange wir lieber in der Dunkelheit unserer Unwissenheit schlafen als das Licht der Wahrheit anschauen wollen. So werden denn viele, um den hellen Tag Gottes zu erblicken und sich an ihm zu freuen, von den Ketzern aus dem Schlafe geschreckt. Wir wollen also auch aus ihnen Nutzen ziehen, indem wir nicht etwa ihre Irrlehren billigen,

ut catholicam disciplinam adversus eorum insidias adseren-
tes vigilantiores et cautiores simus, etiamsi eos ad salutem
revocare non possumus.

[IX.16] *46.* Credo autem adfuturum deum ut ista scriptura
praecedente pietate legentibus bonis non adversus unam
aliquam sed adversus omnes pravas et falsas opiniones possit
valere. Contra eos tamen potissimum est instituta qui duas
naturas vel substantias singulis principiis adversus invicem
rebelles esse arbitrantur. *47.* Offensi enim quibusdam rebus
et rursus quibusdam delectati, non earum quibus offendun-
tur, sed earum quibus delectantur volunt esse auctorem
deum. Et cum consuetudinem suam vincere nequeunt iam
carnalibus laqueis inretitam, duas animas esse in uno corpore
existimant, unam de deo quae naturaliter hoc sit quod ipse,
alteram de gente tenebrarum quam deus nec genuerit nec
fecerit nec protulerit nec abiecerit, sed quae suam vitam
suam terram suos fetus et animalia, suum postremo regnum
habuerit ingenitumque principium; *48.* sed quodam tempore
adversus deum rebellasse, deum autem, qui aliud quod
faceret non haberet et quomodo aliter posset hosti resistere
non inveniret, necessitate oppressum misisse huc animam
bonam et quandam particulam substantiae suae, cuius com-
mixtione atque miseria hostem temperatum esse somniant et
mundum fabricatum.
[17] *49.* Neque nunc eorum opiniones refellimus, quod
partim iam fecimus, partim quantum deus siverit faciemus,

sondern die katholische Lehre gegen ihre Ränke verteidigen und wachsamer und vorsichtiger werden, auch wenn es uns nicht gelingt, sie zum Heil zurückzuführen.

[IX.16]   *Die Zweckbestimmung des Buches: Abwehr der Manichäer*

46. Ich glaube nun, daß diese meine Schrift mit Gottes Hilfe Leser, die fromm und guten Willens sind, wird stärken können, nicht nur einer bestimmten üblen und verkehrten Ansicht Widerstand zu leisten, sondern allen möglichen. Jedoch wendet sie sich in erster Linie gegen diejenigen, die wähnen, zwei Naturen oder Wesen verschiedenen Ursprungs stritten widereinander. 47. Denn von gewissen Dingen abgestoßen, dagegen von anderen erfreut, wollen sie Gott nicht als Urheber der abstoßenden, sondern bloß der erfreulichen gelten lassen. Von ihrer Gewohnheit festgehalten und von Banden des Fleisches gefesselt, bilden sie sich ein, zwei Seelen seien in einem Leibe, die eine von Gott und von Natur dasselbe wie er, die andere vom Geschlecht der Finsternisse abstammend. Dieses soll Gott weder erzeugt noch geschaffen, weder hervorgeholt noch fortgeschleudert haben, sondern es besitze, lehren sie, sein eigenes Leben, seine Erde, seine Sprößlinge und Lebewesen, ja sein eigenes Reich und seinen ungezeugten Ursprung. 48. Zu gewisser Zeit soll es sich gegen Gott empört haben, Gott aber habe sich nicht anders zu helfen gewußt und auf keine andere Weise dem Feinde widerstehen können als dadurch, daß er unter dem Zwang der Notwendigkeit die gute Seele, also ein Teilchen seines Wesens, hierher herabschickte. Durch die so entstandene Vermischung und Vermengung, träumen sie, sei der Feind geschwächt und unsere Welt entstanden.

[17] 49. Jetzt wollen wir nun nicht ihre Ansichten widerlegen, was wir zum Teil schon taten,[29] zum Teil, soweit Gott Gelingen schenkt, noch tun werden, sondern in diesem

sed in hoc opere quomodo adversus eos fides catholica tuta
sit et quomodo non perturbent animum ea quibus commoti
homines in eorum cedunt sententiam, rationibus quas dominus dare dignatur quantum possumus demonstramus.
50. Illud sane in primis tenere te volo, qui bene nosti animum meum, non hoc me fugiendae adrogantiae gratia quasi
solemniter dicere: quidquid in his litteris erroris inveniri
poterit, hoc solum mihi esse tribuendum, quidquid autem
verum et convenienter expositum, uni omnium bonorum
munerum largitori deo.

[X.18] 51. Quam ob rem sit tibi manifestum atque perceptum nullum errorem in religione esse potuisse, si anima pro
deo suo non coleret animam aut corpus aut phantasmata sua
aut horum aliqua duo coniuncta aut certe simul omnia, sed
in hac vita societati generis humani sine dolo temporaliter
congruens aeterna meditaretur, unum deum colens; qui nisi
permaneret incommutabilis, nulla mutabilis natura remane-
ret. 52. Mutari autem animam posse, non quidem localiter
sed tamen temporaliter, suis affectionibus quisque cognos-
cit. Corpus vero et temporibus et locis esse mutabile cuivis
advertere facile est. Phantasmata porro nihil sunt aliud quam
de specie corporis corporeo sensu adtracta figmenta; quae
memoriae mandare ut accepta sunt, vel partiri vel multipli-

Werke kommt es uns darauf an, den katholischen Glauben gegen ihre Angriffe zu sichern und mit den Beweisgründen, die der Herr uns darreichen mag, möglichst dafür Sorge zu tragen, daß jene Irrlehren die Herzen der Menschen nicht verwirren und zur Zustimmung verleiten. 50. Das jedoch bitte ich dich vor allen Dingen festzuhalten, und du kennst mich genug, um zu wissen, daß es nicht eine bloße Redensart falscher Bescheidenheit ist: Was sich in dieser Schrift an Irrtümlichem finden sollte, möge mir allein angerechnet werden, aber alles Wahre und Zutreffende Gott, dem alleinigen Geber aller guten Gaben.

[X.18]   *Die vollkommene Religion, der Weg zu ihr*
und ihre Verteidigung

51. Zunächst mußt du dies eine dir klarmachen und begreifen, daß in der Religion kein Irrtum hätte entstehen können, wenn die Seele an Stelle ihres Gottes nicht entweder eine Seele oder einen Körper oder ihre eigenen Phantasiegebilde verehrt haben würde,[30] oder deren zwei in Verbindung miteinander, wenn nicht gar alle drei zugleich, sondern wenn sie statt dessen, trotz zeitlicher und williger Eingliederung in die menschliche Gesellschaft während ihres Erdenlebens, sich nachsinnend dem Ewigen zugewandt und den einen Gott verehrt hätte, ohne dessen unwandelbaren Bestand kein wandelbares Wesen bestehen könnte. *52.* Daß die Seele selbst aber sich wandeln kann, gewiß nicht räumlich, aber doch zeitlich, erkennt jeder, wenn er an seine Gemütsbewegungen denkt. Die zeitliche und räumliche Wandelbarkeit des Körpers ferner hat jeder ohne weiteres vor Augen. Die Phantasiegebilde vollends sind nichts anderes als aus der Körperwelt mit Hilfe körperlicher Sinne gewonnene Vorstellungsbilder, die man mit Leichtigkeit, sowie man sie aufnahm, dem Gedächtnis anvertrauen, aber auch teilen, vervielfältigen, verkleinern und vergrößern, ordnen, verwir-

care vel contrahere vel distendere vel ordinare vel perturbare vel quolibet modo figurare cogitando facillimum est, sed cum verum quaeritur, cavere et vitare difficile. [19] 53. Non ergo »creaturae potius quam creatori« serviamus nec evanescamus »in cogitationibus nostris«, et perfecta religio est. Aeterno enim creatori adherentes et nos aeternitate afficiamur necesse est. 54. Sed quia hoc anima peccatis suis obruta et implicata per se ipsam videre ac tenere non posset, nullo in rebus humanis ad divina capessenda interposito gradu per quem ad dei similitudinem a terrena vita homo niteretur, ineffabili misericordia dei temporali dispensatione per creaturam mutabilem, sed tamen aeternis legibus servientem ad commemorationem primae suae perfectaeque naturae partim singulis hominibus partim vero ipsi hominum generi subvenitur. 55. Ea est nostris temporibus christiana religio, quam cognoscere ac sequi securissima et certissima salus est.

[20] Defendi autem adversus loquaces et aperiri quaerentibus multis modis potest, omnipotente ipso deo per se ipsum demonstrante quae vera sunt, et ad haec intuenda et percipienda bonas voluntates per bonos angelos et quoslibet homines adiuvante. 56. Eo modo autem quisque utitur quem videt congruere his cum quibus agit. Ego itaque diu multumque considerans quales oblatrantes et quales quaerentes expertus sim, vel qualis ipse, sive cum latrarem sive cum quaererem, fuerim, hoc modo mihi utendum putavi: 57. quae vera esse perspexeris, tene, et ecclesiae catholicae tribue; quae falsa, respue, et mihi qui homo sum ignosce; quae dubia, crede donec aut respuenda esse aut vera esse

ren und auf jede Weise denkend gestalten kann. Aber es ist
schwer, sich vor ihnen zu hüten und ihnen aus dem Wege zu
gehen, wenn man die Wahrheit sucht. [19] *53.* So wollen wir
denn nicht der Kreatur, sondern dem Schöpfer dienen und
keinen eitlen Gedanken nachhängen,[31] dann wird unsere
Religion vollkommen sein.[32] Denn wenn wir dem ewigen
Schöpfer anhangen, werden wir unweigerlich auch an der
Ewigkeit Anteil gewinnen. *54.* Doch könnte die Menschenseele, überhäuft und belastet mit Sünden, dies nicht von sich
aus schauen und festhalten, wenn es keine Stufe gäbe, die
vom menschlichen Bereich zum göttlichen den Übergang
bildet, und mit Hilfe derer der Mensch vom irdischen Leben
zur Gottähnlichkeit aufsteigen kann. Doch nun verhilft
Gottes unaussprechliches Erbarmen, in einer zeitlichen Veranstaltung und durch Vermittlung eines zwar wandelbaren,
aber den ewigen Gesetzen gehorsamen Geschöpfes,[33] teils
einzelnen Menschen, teils sogar dem menschlichen Geschlecht dazu, sich seine erste und vollkommene Natur
wieder in Erinnerung zu bringen. *55.* Das aber ist die
christliche Religion unserer Tage. Sie zu kennen und ihr zu
folgen, ist der sicherste und gewisseste Weg zum Heil.[34]
[20] Sie gegen Schwätzer zu verteidigen und Suchenden zu
erschließen, ist auf vielerlei Weise möglich, da der allmäch-
tige Gott selber und durch sich selbst[35] die Wahrheit offen-
bart und durch gute Engel und mancherlei Menschen dem
guten Willen behilflich ist, sie zu schauen und zu erfassen.
56. Jeder aber wendet die Weise an, die für diejenigen, mit
denen er es zu tun hat, am geeignetsten zu sein scheint. Ich
nun habe lange und oft darüber nachgedacht, was für streit-
süchtige und was für suchende Menschen mir begegnet sind,
und wie ich selber einst streitsüchtig und ein Sucher war,
und mich für die folgende Weise entschieden. *57.* Was du
nun als wahr einsiehst, das halte fest und schreibe es der
katholischen Kirche gut, aber was falsch, das verwirf und sei
mir deswegen nicht gram, denn ich bin nur ein Mensch. Was
dagegen zweifelhaft ist, das glaube so lange, bis Vernunft

aut semper credenda esse vel ratio doceat vel praecipiat
auctoritas. Intende igitur in haec quae sequuntur diligenter
et pie quantum potes; tales enim adiuvat deus.

[XI.21] 58. Nulla vita est quae non sit ex deo, quia deus
utique summa vita est et ipse fons vitae, nec aliqua vita in
quantum vita est malum est, sed in quantum vergit ad
mortem. Mors autem vitae non est nisi nequitia, quae ab eo
quod ne quicquam sit dicta est, et ideo nequissimi homines
nihili homines appellantur. Vita ergo voluntario defectu
deficiens ab illo qui eam fecit et cuius essentia fruebatur, et
volens contra dei legem frui corporibus, quibus eam deus
praefecit, vergit ad nihilum. Et haec est nequitia, non quia
corpus iam nihilum est. 59. Nam et ipsum habet aliquam
concordiam partium suarum, sine qua omnino esse non
posset. Ergo ab eo factum est et corpus qui omnis concor-
diae caput est. Habet corpus quandam pacem suae formae,
sine qua prorsus nihil esset – ergo ille est et corporis conditor
a quo pax omnis est et qui forma est infabricata atque
omnium formosissima –, habet aliquam speciem, sine qua
corpus non est corpus. 60. Si ergo quaeritur quis instituerit
corpus, ille quaeratur qui est omnium speciosissimus.
Omnis enim species ab illo est. Quis est autem hic, nisi unus
deus, una veritas, una salus omnium et prima atque summa
essentia? ex qua est omne quicquid est, in quantum est; quia
in quantum est quicquid est, bonum est.

lehrt oder Autorität vorschreibt, daß es entweder zu verwerfen oder als wahr zu erkennen oder allzeit zu glauben ist. Erwäge also, was nun folgt, so aufmerksam und fromm wie nur möglich, denn solch einem Leser steht Gott bei.[36]

[XI.21]   *Gott, Tod und die Zwischenstufen Leib und Leben*[37]

58. Alles Leben hat seinen Ursprung in Gott. Denn Gott ist das schlechthin höchste Leben und ebenso der Quell des Lebens. Und kein Leben ist schlecht, sofern es Leben ist, sondern nur, sofern es dem Tode sich zuneigt. Der Tod des Lebens aber ist Nichtigkeit, ein Wort, das vom Nichts abgeleitet ist. Darum nennt man auch nichtsnutzige Menschen nichtig. Ein Leben also, das freiwillig abfällt von dem, der es schuf und an dessen wahrem Sein es genußreichen Anteil hatte, und das nun dem Gesetz Gottes zuwider die Körperwelt genießen will, der es doch von Gott übergeordnet ist, neigt sich dem Nichts zu. Das aber ist Nichtigkeit, obschon der Körper an sich kein Nichts ist. *59.* Besitzt er doch auch eine gewisse Harmonie seiner Teile, ohne welche er überhaupt nicht existieren könnte. Also stammt er von dem, der Ursprung aller Harmonie ist. In seiner Form tut sich ferner ein gewisser Friede kund, ohne welchen er ganz und gar nichts wäre. Also ist auch des Körpers Schöpfer der, von dem aller Friede herkommt und der selbst die ungeschaffene Form und aller Formen Vollendung ist. Er besitzt auch eine gewisse Schönheit und könnte ohne sie kein Körper sein. *60.* Fragt man also, wer ihn so gestaltet hat, so frage man nach dem, der der Allerschönste ist. Denn von ihm stammt alle Schönheit her. Wer aber ist er? Kein anderer als der eine Gott, die eine Wahrheit, das eine Heil aller, erstes und höchstes Sein, von dem alles ist, was irgend ist, soweit es eben ist. Denn alles, soweit es ist, was es ist, ist gut.

[22] *61*. Et ideo ex deo non est mors. »Non« enim »deus mortem fecit nec laetatur in perditione vivorum«, quoniam summa essentia esse facit omne quod est, unde et essentia dicitur, mors autem non esse cogit quidquid moritur. Nam si ea quae moriuntur penitus morerentur, ad nihilum sine dubio pervenirent; sed tantum moriuntur quanto minus essentiae participant. Quod brevius ita dici potest: tanto magis moriuntur quanto minus sunt. *62*. Corpus autem minus est quam vita quaelibet, quoniam quantulumcumque manet in specie, per vitam manet, sive qua unumquodque animal sive qua universa natura mundi administratur. Corpus ergo magis subiacet morti et ideo vicinius est nihilo; quapropter vita, quae fructu corporis delectata neglegit deum, inclinatur ad nihilum, et ista est nequitia.

[XII.23] *63*. Hoc pacto autem vita carnalis et terrena efficitur et ob hoc etiam caro et terra nominatur. Et quamdiu ita est, regnum dei non possidebit et eripitur ei quod amat. Id enim amat quod et minus est quam vita, quia corpus est, et propter ipsum peccatum, quod amatur fit corruptibile, ut fluendo deserat amatorem suum, quia et ille hoc amando deseruit deum. Praecepta enim eius neglexit dicentis: Hoc manduca et hoc noli. *64*. Trahitur ergo ad poenas, quia diligendo inferiora in egestate voluptatum suarum et in doloribus apud inferos ordinatur. Quid est enim dolor qui

[22] **61.** Der Tod kommt also nicht von Gott, »denn Gott hat den Tod nicht gemacht und hat nicht Lust am Verderben der Lebendigen«.[38] Das höchste Sein hat ja alles ins Sein gerufen, was ist, darum heißt es auch das Sein. Der Tod aber zwingt alles, was sterben muß, soweit es eben stirbt, ins Nichtsein. Denn wenn das, was stirbt, völlig stürbe, würde es ohne Frage gänzlich zunichte. Doch stirbt es nur insoweit, wie es weniger am Sein Anteil hat, oder kürzer gesagt: Es stirbt um so mehr, je weniger es ist. **62.** Ein Körper aber ist weniger als irgendwelches Leben. Denn wenn er auch nur das Geringste von seiner Gestalt behält, behält er es durchs Leben, sei es durch das Leben, das jedes einzelne Lebewesen, sei es durch das, welches die gesamte Natur beseelt.[39] Der Leib unterliegt also dem Tode mehr und ist dem Nichts demzufolge benachbarter. Deswegen neigt sich ein Leben, welches an der Frucht des Leibes Geschmack findet und Gott vernachlässigt, dem Nichts zu. Das aber ist Nichtigkeit.

[XII.23] *Fall und Wiederaufrichtung von Seele und Leib*

63. Aus diesem Grunde wird es zu einem fleischlichen und irdischen Leben, heißt deswegen auch Fleisch und Erde und kann, solange es so bleibt, das Reich Gottes nicht ererben. Vielmehr wird ihm entrissen, was es liebt. Denn es liebt, was weniger ist als es selber, nämlich den Körper, und infolge dieser Sünde wird das Geliebte vergänglich und läßt hinschwindend seinen Liebhaber im Stich, da auch dieser durch seine falsche Liebe Gott verließ. Denn er übertrat das Gebot dessen, der sprach: Davon sollst du essen und davon nicht![40] **64.** Das zieht aber die Strafe nach sich. Denn weil er in der Dürftigkeit seiner Lüste und unter Schmerzen Niedrigeres liebte, wird ihm auch bei den Niederen[41] sein Platz angewiesen. Was ist nämlich sogenannter leiblicher Schmerz anders

dicitur corporis, nisi corruptio repentina salutis eius rei
quam male utendo anima corruptioni obnoxiavit? Quid
autem dolor qui dicitur animi, nisi carere mutabilibus rebus
quibus fruebatur aut frui se posse speraverat? Et hoc est
totum quod dicitur malum, id est, peccatum et poena peccati. [24] 65. Si autem dum in hoc stadio vitae humanae
anima degit, vincat eas quas adversum se nutrivit cupiditates
fruendo mortalibus, et ad eas vincendas gratia dei se adiuvari
credat, mente illi serviens et bona voluntate, sine dubitatione
reparabitur et a multis mutabilibus ad unum incommutabile
revertetur, reformata per sapientiam non formatam, sed per
quam formantur universa, fruiturque deo per spiritum sanctum, quod est donum dei.
66. Ita fit homo spiritalis omnia iudicans, ut ipse a nemine
iudicetur, diligens dominum deum suum »in toto corde,
in tota anima, in tota mente« et diligens proximum suum
non carnaliter, sed tamquam se ipsum; se autem spiritaliter
diligit qui ex toto quod in eo vivit deum diligit. »In his«
enim »duobus praeceptis tota lex pendet et prophetae.«
[25] 67. Inde iam erit consequens ut post mortem corporalem,
quam debemus primo peccato, tempore suo atque ordine suo
hoc corpus restituatur pristinae stabilitati, quam non per se
habebit, sed per animam stabilitam in deo. Quae rursus non
per se stabilitur, sed per deum quo fruitur, ideoque amplius
quam corpus vigebit; corpus enim per ipsam vigebit et ipsa
per incommutabilem veritatem, qui filius dei unicus est.
Atque ita et corpus per ipsum filium dei vigebit, quia »omnia
per ipsum«. 68. Dono etiam eius, quod animae datur, id est

als eine plötzliche Störung des Wohlbefindens dessen, den die Seele durch Mißbrauch der Zerstörung preisgegeben hat? Und was ist sogenannter Schmerz der Seele anders als das Entbehren der wandelbaren Dinge, die sie genoß oder genießen zu können gehofft hatte? Das aber ist all das, was man Übel nennt, nämlich Sünde und Sündenstrafe. [24] 65. Wenn aber die Seele während des Ablaufs dieses Erdenlebens die Begierden besiegt, die sie durch den Genuß des Vergänglichen zum eigenen Schaden nährte, und darauf vertraut, daß Gottes Gnade ihr dabei helfen wird, und wenn sie reinen Geistes und guten Willens Gott dient, dann wird sie ohne Zweifel gesunden. Sie wird, erneuert durch die ungeschaffene, vielmehr allschöpferische Weisheit, von dem vielen Wandelbaren zum Einen und Unwandelbaren zurückkehren und Gott durch den Heiligen Geist, Gottes Gabe, genießen.

66. So entsteht der geistliche Mensch, der alles richtet, selbst aber von niemand gerichtet wird,[42] der Gott, seinen Herrn, »von ganzem Herzen, von ganzer Seele und von ganzem Gemüte«[43] liebt und auch seinen Nächsten nicht fleischlich, sondern wie sich selbst liebt. Sich selbst aber liebt er geistlich, wenn er mit all dem, was in ihm lebt, Gott liebt. »Denn in diesen zwei Geboten hängt das ganze Gesetz und die Propheten.«[44] [25] 67. Daraus ergibt sich dann, daß nach dem leiblichen Tode, der Straffolge der ersten Sünde, auch dieser unser Leib zu seiner Zeit und in seiner Ordnung zu der Gesundheit und Kraft, die er anfänglich besaß, erneuert werden wird,[45] und zwar durch seine in Gott gesundete Seele, nicht durch sich selbst. Aber auch die Seele gesundet nicht durch sich selbst, sondern durch Gott, den sie genießt. Darum besitzt sie mehr Lebenskraft als der Leib, denn dieser gewinnt seine Kraft durch sie, sie selber aber durch die unwandelbare Wahrheit, den eingeborenen Gottessohn. So wird also auch der Leib durch den Sohn Gottes Lebenskraft erlangen, der ja alles zum Leben erweckt. 68. Denn durch seine Gabe, die der Seele verliehen wird, nämlich den

sancto spiritu, non solum anima cui datur salva et pacata et
sancta fit, sed ipsum etiam corpus vivificabitur eritque in
natura sua mundissimum. Ille enim dicit: »Mundate quae
intus sunt, et quae foris sunt munda erunt.« Dicit et apostolus: »Vivificabit et mortalia corpora vestra propter spiritum
manentem in vobis.« 69. Ablato ergo peccato auferetur
poena peccati: et ubi est malum? »Ubi est, mors, contentio
tua? Ubi est, mors, aculeus tuus?« Vincit enim essentia
nihilum et sic »absorbetur mors in victoriam«.

[XIII.26] 70. Nec aliquid sanctificatis malus angelus oberit,
qui diabolus dicitur, quia et ipse, in quantum angelus est,
non est malum, sed in quantum perversus est propria voluntate. Fatendum est enim et angelos natura esse mutabiles, si
solus deus est incommutabilis; sed ea voluntate qua magis
deum quam se diligunt, firmi et stabiles manent in illo et
fruuntur maiestate ipsius, ei uni libentissime subditi. 71. Ille
autem angelus magis se ipsum quam deum diligendo subditus ei esse noluit et intumuit per superbiam et a summa
essentia defecit et lapsus est. Et ob hoc minus est quam fuit,
quia eo quod minus erat frui voluit, cum magis voluit sua
potentia frui quam dei. Quamquam enim non summe,
tamen amplius erat quando eo quod summe est fruebatur,
quoniam deus solus summe est. 72. Quidquid autem minus
est quam erat, non in quantum est, sed in quantum minus
est, malum est. Eo enim quo minus est quam erat tendit ad

heiligen Geist, wird nicht nur die Seele, die sie empfängt, gesund, friedvoll und heilig sein, sondern auch der Leib wird aufleben und in seiner Natur ganz rein sein. Denn der Herr hat gesagt: »Reinige zum ersten das Inwendige, dann wird auch das Auswendige rein sein«,[46] und der Apostel: »Christus wird auch eure sterblichen Leiber lebendig machen um deswillen, daß sein Geist in euch wohnt.«[47] 69. Denn ist nur die Sünde weggeräumt, wird auch die Sündenstrafe weggeräumt, und wo ist dann noch ein Übel? »Wo ist dann, Tod, dein Grimm? Wo ist, Tod, dein Stachel?«[48] Denn nun besiegt das Sein das Nichts, und »der Tod wird verschlungen in den Sieg«.[49]

[XIII.26]　　　　　*Der böse Engel*

70. Nun kann auch der böse Engel, wegen seiner Bosheit Teufel genannt, den Geheiligten nichts schaden. Denn auch er, soweit er Engel ist, ist nicht böse, sondern nur soweit er aus eigenem Willen verkehrt geworden ist. Man muß ja zugeben, daß auch die Engel von Natur wandelbar sind, weil nur Gott unwandelbar ist. Aber in Kraft des Willens, mit dem sie Gott mehr als sich selber lieben, bleiben sie in ihm fest und unerschüttert, sind einzig und allein ihm freudigst untertan und genießen seine Herrlichkeit. 71. Jener andere Engel aber, der sich selbst mehr als Gott liebte, wollte ihm nicht untertan sein, blähte sich hochmütig auf, sagte sich vom höchsten Sein los und fiel herab. Darum ward er weniger als er war, weil er es vorzog, das Geringere, nämlich seine eigene statt der Macht Gottes zu genießen. Denn obwohl auch er einst kein höchstes Sein besaß, war er doch mehr, solange er das höchste Sein genoß, da Gott allein zuhöchst ist. 72. Was aber weniger ist als vorher, das ist nicht, sofern es ist, sondern sofern es weniger ist, böse. Denn eben dadurch, daß es weniger wird, als es war, gleitet es zum Tode ab. Kein Wunder, daß aus solchem Absinken

mortem. Quid autem mirum si ex defectu inopia et ex inopia invidentia, qua diabolus utique diabolus est?

[XIV.27] 73. Defectus autem iste quod peccatum vocatur, si tamquam febris invitum occuparet, recte iniusta poena videretur quae peccantem consequitur et quae damnatio nuncupatur. Nunc vero usque adeo peccatum voluntarium malum est, ut nullo modo sit peccatum si non sit voluntarium. Et hoc quidem ita manifestum est, ut nulla hinc doctorum paucitas, nulla indoctorum turba dissentiat. 74. Quare aut negandum est peccatum committi aut fatendum voluntate committi. Non autem recte negat peccasse animam, qui et paenitendo eam corrigi fatetur et veniam paenitenti dari et perseverantem in peccatis iusta dei lege damnari. Postremo, si non voluntate male faciamus, nemo obiurgandus omnino aut monendus est. Quibus sublatis christiana lex et disciplina omnis religionis auferatur necesse est. 75. Voluntate ergo peccatur. Et quoniam peccari non dubium est, ne hoc quidem dubitandum video, habere animas liberum voluntatis arbitrium. Tales enim servos suos meliores esse deus iudicavit, si ei servirent liberaliter; quod nullo modo fieri posset si non voluntate sed necessitate servirent. [28] 76. Liberaliter igitur deo angeli serviunt, neque hoc deo, sed ipsis prodest. Deus enim bono alterius non indiget, quoniam a se ipso est. Quod autem ab eo genitum est, id ipsum est, quia non est

Mangel und aus dem Mangel der Neid entsteht, der den
Teufel zum Teufel macht.

[XIV.27]   *Sünde, freiwilliger Abfall von Gott,*
Seinsverlust

73. Wenn jedoch dies Absinken, das man Sünde nennt, den
Menschen nur wie ein Fieber und wider Willen überkäme,
müßte man die der Sünde folgende Strafe, nämlich die
Verdammnis, ungerecht heißen. Nun aber ist die Sünde so
sehr ein freigewollt Böses, daß man schlechterdings von
Sünde nicht reden könnte, wenn sie nicht frei gewollt
wäre.[50] Das ist so offenkundig, daß es darüber weder bei der
geringen Zahl der Gelehrten noch bei der Masse der Un-
gelehrten irgendwelche Meinungsverschiedenheiten gibt.
74. Daher muß man entweder bestreiten, daß überhaupt
Sünde begangen wird, oder einräumen, daß sie freiwillig
begangen wird. Aber wie könnte jemand bestreiten, daß die
Seele gesündigt hat, wenn er doch zugibt, daß sie durch
Buße gebessert wird, durch Buße Vergebung empfängt und,
falls sie in Sünden verharrt, durch Gottes gerechtes Gericht
verdammt wird? Endlich, wenn wir willenlos böse handel-
ten, dürfte niemand ausgescholten, niemand ermahnt werden, und dadurch würde notwendig die christliche Gesetz-
gebung und alle religiöse Zucht aufgehoben. 75. Also sündigt man freiwillig. Da man aber ohne jeden Zweifel sündigt, ist auch daran nicht zu zweifeln, daß die Seelen freie
Willensentscheidung haben. Denn Gott urteilt, daß es seine
besten Diener sind, die ihm in Freiheit dienen. Das aber
wäre ausgeschlossen, wenn sie ihm nicht willentlich, sondern bloß gezwungen dienten. [28] 76. Also leisten die Engel
Gott freiwillig ihren Dienst und nützen damit nicht ihm,
sondern sich selbst. Denn Gott bedarf nicht des Guten eines
anderen, weil er an sich gut ist. Das gilt auch von dem, was
von ihm erzeugt ist, da es dasselbe ist wie er. Was dagegen

factum, sed genitum. Illa vero quae facta sunt eius bono indigent, summo scilicet bono, id est summa essentia. Minus autem sunt quam erant, cum per animae peccatum minus ad illum moventur; nec tamen penitus separantur, nam omnino nulla essent. *77.* Quod autem affectibus contingit animae, hoc locis corpori; nam illa movetur voluntate, corpus autem spatio. Quod autem homini a perverso angelo persuasum dicitur, et ad hoc utique voluntate consensit. Nam si necessitate id fecisset, nullo peccati crimine teneretur.

[XV.29] *78.* Quod vero corpus hominis, cum ante peccatum esset in suo genere optimum, post peccatum factum est imbecillosum et morti destinatum, quamquam iusta vindicta peccati sit, plus tamen clementiae domini quam severitatis ostendit. Ita enim nobis suadebatur, a corporis voluptatibus ad aeternam essentiam veritatis amorem nostrum oportere converti. *79.* Et est iustitiae pulchritudo cum benignitatis gratia concordans, ut, quoniam bonorum inferiorum dulcedine decepti sumus, amaritudine poenarum erudiamur. Nam ita etiam nostra supplicia divina providentia moderata est, ut et in hoc corpore tam corruptibili ad iustitiam tendere liceret et deposita omni superbia uni deo vero collum subdere, nihil de se ipso fidere, illi uni se regendum tuendumque committere. *80.* Ita ipso duce homo bonae voluntatis molestias huius vitae in usum fortitudinis vertit; in copia vero volup-

erschaffen ist, bedarf des Guten, das er ist, nämlich des zuhöchst Guten, das zugleich höchstes Sein ist. Es wird aber weniger als es war, wenn sich die sündigende Seele weniger hinbewegt zu Gott.[51] Doch kann es sich nie ganz von ihm trennen, denn dann wäre es ein völliges Nichts. 77. Was aber der Seele an Gemütsbewegungen widerfährt, empfindet der Leib örtlich. Denn während sie durch den Willen bewegt wird, spielt sich das Körperliche im Raume ab. Wenn aber, wie man sagt, der Mensch von einem bösen Engel verführt wird, so hat er ihm doch unfraglich willentlich zugestimmt. Denn hätte er das Böse unter dem Zwang der Notwendigkeit getan, könnte man von keiner Sündenschuld reden.

[XV.29]   *Der Segen der Strafe*[52]

78. Wenn nun des Menschen Leib, der vor der Sünde in seiner Art vortrefflich war, nach dem Sündigen schwächlich ward und dem Tode preisgegeben, so ist das zwar die gerechte Sündenstrafe, zeugt jedoch mehr von Milde als Strenge des Herrn. Denn dadurch werden wir gemahnt, unsere Liebe von den Lüsten des Leibes abzukehren und sie dem ewigen Sein der Wahrheit zuzuwenden. 79. Denn darin zeigt sich die Schönheit der Gerechtigkeit, die Hand in Hand geht mit der Lieblichkeit der göttlichen Gnade, daß wir, die durch die Süßigkeit der niederen Güter betrogen wurden, uns nun durch die Bitterkeit der Strafen erziehen lassen müssen. Gottes Vorsehung mildert ja unsere Bestrafung, da sie uns erlaubt, auch in diesem so hinfälligen Leibe nach der Gerechtigkeit zu streben, unter Verzicht auf allen Stolz unsern Nacken unter den Willen des einen wahren Gottes zu beugen und nicht auf uns selber zu vertrauen, uns vielmehr ihm allein und seiner Lenkung und seinem Schutz zu überlassen. 80. So verwertet der Mensch guten Willens die Mühsale dieses Lebens zum Beweise seiner Tapferkeit. Bieten sich allerlei zeitliche Genüsse und Glücksfälle,

tatum prosperisque successibus temporalium temperantiam
suam probat et roborat, acuit in temptationibus prudentiam,
ut non solum in eas non inducatur, sed fiat etiam vigilantior
et in amorem veritatis, quae sola non fallit, ardentior.

[XVI.30] *81*. Sed cum omnibus modis medeatur animis deus
pro temporum opportunitatibus, quae mira sapientia eius
ordinantur – de quibus aut non est tractandum aut inter pios
perfectosque tractandum est –, nullo modo beneficientius
consuluit generi humano quam cum ipsa dei sapientia, id est
unicus filius consubstantialis patri et coaeternus, totum
hominem suscipere dignatus est »et verbum caro factum est
et habitavit in nobis«. *82*. Ita enim demonstravit carnalibus
et non valentibus intueri mente veritatem corporeisque sensibus deditis, quam excelsum locum inter creaturas habeat
humana natura, quod non solum visibiliter – nam id poterat
et in aliquo aethereo corpore ad nostrorum aspectuum tole-
rantiam temperato –, sed hominibus in vero homine appa-
ruit. Ipsa enim natura suscipienda erat quae liberanda. Et ne
quis forte sexus a suo creatore se contemptum putaret,
virum suscepit, natus ex femina est. [31] *83*. Nihil egit vi, sed
omnia suadendo et monendo. Vetere quippe servitute trans-
acta tempus libertatis inluxerat et oportune iam homini
suadebatur atque salubriter quam libero esset creatus arbitrio. Miraculis conciliavit fidem deo qui erat, passione
homini quem gerebat. Ita loquens ad turbas ut deus nuntia-

bewährt und kräftigt er seine Besonnenheit. In Versuchungen aber übt er seine Klugheit, indem er nicht nur ihnen auszuweichen sucht, sondern wachsamer wird und die Wahrheit, die allein niemanden täuscht, um so glühender liebt.

[XVI.30]   *Christliche Moral- und Naturlehre,
            veranschaulicht durch Christus*

81. Auf allerlei Weise bietet Gott je nach den Zeitumständen, wie seine wunderbare Weisheit es fügt, den Seelen Heilung dar, wovon nur im Kreise frommer und vollkommener Menschen die Rede sein sollte. Doch hat er am gütigsten sich dem Menschengeschlecht dadurch erwiesen, daß die Weisheit Gottes selbst, der einige mit dem Vater wesensgleiche und gleichewige Sohn, die volle Menschheit anzunehmen sich herabließ, daß »das Wort Fleisch ward und unter uns wohnte«.[53] So hat er uns fleischlichen Menschen, die unfähig zur geistigen Schau der Wahrheit und den körperlichen Sinnen verhaftet waren, gezeigt, welch hohen Platz die menschliche Natur unter den Geschöpfen einnimmt. Denn nicht nur in sichtbarer Gestalt erschien er uns Menschen, was er ja auch in einem ätherischen, unserem Sehvermögen angepaßten Leibe hätte tun können, sondern in wahrer Menschengestalt. Mußte er doch die Natur annehmen, die er befreien sollte. Und damit kein Geschlecht wähnte, es sei von seinem Schöpfer verschmäht, nahm er das männliche an und ließ sich vom Weibe gebären. [31] *83.* Nie hat er Gewalt gebraucht,[54] immer nur überredet und ermahnt. Denn die alte Knechtschaft war vorüber und die Zeit der Freiheit angebrochen. Nunmehr konnte dem Menschen zu seinem Heil vorgehalten werden, wie freien Willens er erschaffen sei. Durch Wundertaten machte er seine Gottheit glaubhaft, durch Leiden seine Menschheit. Als Gott sprach er zur Menge, die Mutter verleugnend,[55] deren

tam sibi matrem negavit et tamen, ut evangelium loquitur,
puer parentibus subditus erat. Doctrina enim deus appare-
bat, aetatibus homo. *84.* Item aquam in vinum conversurus
ut deus dicit: Recede a me, mulier; »mihi et tibi quid est?
Nondum venit hora mea«. Cum autem venisset hora qua ut
homo moreretur, de cruce cognitam matrem commendavit
discipulo quem prae ceteris diligebat. Satellites voluptatum
divitias perniciose populi appetebant: pauper esse voluit;
honoribus et imperiis inhiabant: rex fieri noluit; carnales
filios magnum bonum putabant: tale coniugium prolemque
contempsit; *85.* contumelias superbissime horrebant: omne
genus contumeliarum sustinuit; iniurias intolerabiles esse
arbitrabantur: quae maior iniuria quam iustum innocentem-
que damnari? dolores corporis execrabantur: flagellatus
atque cruciatus est; mori metuebant: morte multatus est;
ignominiosissimum mortis genus crucem putabant: crucifi-
xus est. Omnia quae habere cupientes non recte vivebamus,
carendo vilefecit, omnia quae vitare cupientes ab studio
⟨veritatis⟩ deviabamus, perpetiendo deiecit. Non enim
ullum peccatum committi potest, nisi dum appetuntur ea
quae ille contempsit, aut fugiuntur quae ille sustinuit.
[32] *86.* Tota itaque vita eius in terris per hominem quem
suscipere dignatus est disciplina morum fuit, resurrectio vero
eius a mortuis nihil hominis perire naturae, cum omnia salva
sunt deo, satis indicavit, et quemadmodum cuncta serviant
creatori suo sive ad vindictam peccatorum sive ad hominis
liberationem quamque facile corpus animae serviat, cum ipsa

Ankunft man ihm gemeldet, und doch war er als Knabe, wie das Evangelium berichtet, seinen Eltern untertan. In seiner Lehre trat er auf als Gott, im Heranwachsen und Älterwerden erwies er sich als Mensch. *84.* Im Begriff, Wasser in Wein zu verwandeln, sprach er als Gott: »Weib, was habe ich mit dir zu schaffen? Meine Stunde ist noch nicht gekommen.«[56] Als aber die Stunde gekommen war, in der er als Mensch sterben sollte, erkannte er vom Kreuz herab seine Mutter und empfahl sie dem Lieblingsjünger. Die Knechte der Begierden trachteten nach verderblichem Reichtum; er wollte arm sein. Sie dürsteten nach Ehre und Macht; er wollte nicht König werden. Sie hielten fleischliche Nachkommenschaft für ein großes Gut; er verschmähte Ehe und Kinderzeugung. *85.* In ihrem großen Stolz schreckten sie vor Schmach zurück; er ließ Schimpf und Schande über sich ergehen. Unrecht zu leiden, dünkte ihnen unerträglich; aber gab es größeres Unrecht als die Verdammung eines Gerechten und Unschuldigen? Leibliche Qualen waren ihnen fürchterlich; er ward gegeißelt und gemartert. Sie zitterten vor dem Tode; über ihn verhängte man die Todesstrafe. Das Kreuz galt ihnen als schmählichste Todesart; er ward gekreuzigt. All das, wonach wir verlangten, wodurch wir verhindert wurden, recht zu leben, hat er durch seinen Verzicht als eitel erwiesen. All das, was wir zu vermeiden wünschten, wodurch wir vom Wege der Wahrheit abgedrängt wurden, hat er auf sich genommen und des Schrekkens entkleidet. Keine Sünde kann begangen werden, wenn man nicht begeht, was er verachtet, oder flieht, was er ertragen hat. [32] *86.* So war sein ganzes Leben auf Erden in der menschlichen Gestalt, die anzunehmen er sich herabließ, eine Sittenlehre.[57] Seine Auferstehung von den Toten aber zeigt an, daß kein Teil der menschlichen Natur dem Verderben anheimfallen kann, wenn die völlige Heilung durch Gott erfolgt ist; ferner, daß alles dem Schöpfer dienen muß, sei es die Sünden zu strafen, sei es den Menschen zu erlösen; endlich, wie leicht der Leib der Seele sich fügt, wenn sie

subicitur deo. *87.* Quibus perfectis non solum nulla substantia malum est – quod fieri numquam potest –, sed etiam nullo malo afficitur, quod fieri per peccatum et vindictam potuit. Et haec est disciplina naturalis, Christianis minus intellegentibus plena fide digna, intellegentibus autem omni errore purgata.

[XVII.33] *88.* Iam vero ipse totius doctrinae modus, partim apertissimus, partim similitudinibus in dictis, in factis, in sacramentis ad omnem animae instructionem exercitationemque adcommodatus quid aliud quam rationalis disciplinae regulam implevit? Nam et mysteriorum expositio ad ea dirigitur quae apertissime dicta sunt. Et si ea tantum essent quae facillime intelleguntur, nec studiose quaereretur nec suaviter inveniretur veritas, neque si essent in scripturis et in sacramentis non essent signacula veritatis, satis cum cognitione actio conveniret. *89.* Nunc vero quoniam pietas timore inchoatur, caritate perficitur, populus timore constrictus tempore servitutis in vetere lege multis sacramentis onerabatur. Hoc enim utile talibus erat ad desiderandam gratiam dei, quae per prophetas ventura canebatur. Quae ubi venit ab ipsa dei sapientia homine adsumpto et in libertatem vocati sumus, pauca sacramenta saluberrima constituta sunt, quae

selbst sich Gott unterwirft. *87.* Wenn dies vollendet ist, dann ist nicht nur kein Wesen böse, was ja überhaupt unmöglich ist, sondern es kann auch von keinem Übel mehr angetastet werden, was infolge der Sünde und Sündenstrafe allerdings möglich war. Dies ist die Naturlehre[58], die für die weniger einsichtigen Christen vollkommen glaubwürdig ist, den Einsichtigen aber von allem Irrtum frei sich darbietet.

[XVII.33] *Rechtfertigung der Unterschiede des Alten und Neuen Testaments*

88. Betrachten wir ferner die Art und Weise der Christenlehre im ganzen, wie sie sich teils unverhüllt, teils durch Gleichnisse, in Worten, Taten und Sakramenten ausspricht und in jeder Weise für die Unterweisung und Übung der Seele geeignet ist, muß man da nicht sagen, daß sie auch den Ansprüchen einer Vernunftlehre[59] vollauf gerecht wird? Denn auch die Ausdeutung der Geheimnisse läuft auf dasselbe hinaus, was ganz unmißverständlich gesagt ist. Gäbe es in der Lehre nur Leichtverständliches, käme es weder zu eifrigem Suchen noch beglücktem Finden der Wahrheit. Gäbe es aber in den Schriften wohl Sakramente,[60] wären aber in den Sakramenten nicht auch Zeichen der Wahrheit bemerkbar, würde der Sakamentsvollzug der Einsicht entbehren. *89.* Nun aber, da die Frömmigkeit mit der Furcht beginnen muß, um durch die Liebe vollendet zu werden, wurde das Volk während der Zeit seiner Knechtschaft im alten Bunde der Furcht unterworfen und mit vielen Sakramenten belastet, denn das war ihnen damals nützlich und trieb sie, sich nach der Gnade Gottes zu sehnen, die die Propheten ahnend voraussagten. Als sie erschien und die Weisheit Gottes menschliche Gestalt annahm und uns zur Freiheit berief, da wurden nur wenige, aber höchst heilsame Sakramente gestiftet. Sie sollten die Gemeinde des Christen-

societatem christiani populi, hoc est sub uno deo liberae
multitudinis continerent. *90*. Multa vero quae populo
Hebraeo, hoc est sub eodem uno deo compeditae multitu-
dini imposita erant, ab actione remota sunt, in fide atque
interpretatione manserunt. Ita nec serviliter alligant et exer-
cent liberaliter animum. [34] *91*. Quisquis autem ideo negat
utrumque testamentum ab uno deo esse posse, quia non
eisdem sacramentis tenetur populus noster quibus Iudaei
tenebantur vel adhuc tenentur, potest dicere non posse fieri
ut unus paterfamilias iustissimus aliud imperet eis quibus
servitutem duriorem utilem iudicat, aliud eis quos in
filiorum gradum adoptare dignatur. *92*. Si autem praecepta
vitae movent, quod in vetere lege minora sunt, in evangelio
maiora, et ideo putatur non ad unum deum utraque pertinere, potest qui hoc putat perturbari, si unus medicus alia
per ministros suos inbecillioribus, alia per se ipsum valentio-
ribus praecipiat ad reparandam vel obtinendam salutem. *93*.
Ut enim ars medicinae, cum eadem maneat neque ullo pacto
ipsa mutetur, mutat tamen praecepta languentibus, quia
mutabilis est nostra valetudo, ita divina providentia, cum sit
ipsa omnino incommutabilis, mutabili tamen creaturae varie
subvenit et pro diversitate morborum alias alia iubet aut
vetat, ut a vitio, unde mors incipit, et ab ipsa morte ad
naturam suam et essentiam ea quae deficiunt, id est ad
nihilum tendunt, reducat et firmet.

volkes, die im Dienst des einen Gottes stehende freie Menge, zusammenhalten. *90.* Die vielen Sakramente dagegen, die dem Hebräervolke, der demselben einen Gott zwangsweise unterworfenen Menge, auferlegt waren, wurden nun zwar der Ausübung entzogen, behielten aber für den Glauben und die Auslegung ihren Wert. So können sie uns nicht mehr knechtisch binden, sondern üben in freier Betrachtung unseren Geist. [34] *91.* Wer aber nun behauptet, die beiden Testamente könnten nicht von dem einen Gott her stammen, weil unser Volk nicht an die gleichen Sakramente gebunden ist, an die die Juden gebunden wurden und noch jetzt gebunden sind, der könnte ebensogut sagen, es sei unmöglich, daß ein und derselbe Hausvater, falls er ganz gerecht wäre, denen, für die nach seiner Überzeugung ein strengerer Dienst heilsam ist, andere Befehle gibt als denen, die er an Sohnes Statt annimmt. *92.* Desgleichen wer Anstoß daran nimmt, daß im alten Gesetz die sittlichen Anforderungen geringer sind als im Evangelium, und darum meint, Gesetz und Evangelium könnten nicht denselben Gott zum Urheber haben, der könnte auch dadurch außer Fassung geraten, wenn er sieht, daß derselbe Arzt schwächeren Patienten zur Wiederherstellung oder Erhaltung der Gesundheit durch seine Gehilfen andere Vorschriften geben läßt, als er sie kräftigeren selber gibt. *93.* Die medizinische Wissenschaft bleibt doch die gleiche und ändert sich nicht im geringsten, wenn sie auch die Vorschriften für die Kranken ändert, weil unser Gesundheitszustand veränderlich ist. Ebenso ist auch die göttliche Vorsehung durchaus unwandelbar, kommt aber der wandelbaren Kreatur auf verschiedene Weise zu Hilfe. Je nach der Art der Krankheit befiehlt oder verbietet sie dem einen dies, dem anderen das. Dadurch führt sie das Hinfällige, dem Nichts Zueilende von der Übeltat, womit der Tod seinen Anfang nimmt, und vom Tode selbst zu seiner wahren Natur und Wesenheit zurück und befestigt es darin.[61]

[XVIII.35] *94.* Sed dicis mihi: Quare deficiunt? Quia mutabilia sunt. Quare mutabilia sunt? Quia non summe sunt. Quare non summe sunt? Quia inferiora sunt eo a quo facta sunt. Quis ea fecit? Qui summe est. Quis hic est? Deus incommutabilis trinitas, quoniam et per summam sapientiam ea fecit et summa benignitate conservat. Cur ea fecit? Ut essent; ipsum enim quantumcumque esse bonum est, quia summum bonum est summe esse. Unde fecit? Ex nihilo, quoniam quidquid est, quantulacumque specie sit necesse est; ita etsi minimum bonum, tamen bonum erit et ex deo erit. *95.* Nam quoniam summa species summum bonum est, minima species minimum bonum est; omne autem bonum aut deus aut ex deo; ergo ex deo est etiam minima species. Sane quod de specie, hoc etiam de forma dici potest; neque enim frustra tam speciosissimum quam etiam formosissimum in laude ponitur. *96.* Id igitur est unde fecit deus omnia, quod nullam speciem habet nullamque formam; quod nihil est aliud quam nihil. Nam illud quod in comparatione perfectorum informe dicitur, si habet aliquid formae, quamvis exiguum, quamvis inchoatum, nondum est nihil, ac per hoc id quoque in quantum est, non est nisi ex deo. [36] *97.* Quapropter etiam si de aliqua informi materia factus est mundus, haec ipsa facta est de omnino nihilo. Nam et quod nondum formatum est, tamen, aliquo modo ut formari possit inchoatum est, dei beneficio formabile est; bonum est enim esse formatum. Nonnullum ergo bonum est et capacitas formae; et ideo bonorum omnium auctor, qui praestitit

[XVIII.35] *Alles, was ist oder sein kann, was geformt ist oder geformt werden kann, ist ein Gut und stammt von Gott*[62]

94. Doch nun fragst du mich: Warum ist es hinfällig? Antwort: Weil es wandelbar ist. Warum wandelbar? Weil nicht zuhöchst seiend. Und warum das nicht? Weil dem untergeordnet, der es geschaffen hat. Wer hat es geschaffen? Der zuhöchst ist. Wer ist das? Gott, die unwandelbare Dreieinigkeit; denn durch seine höchste Weisheit hat er es geschaffen, und durch seine höchste Güte erhält er es. Warum hat er es geschaffen? Damit es sei. Denn das Sein selbst, was es auch sei, ist ein Gut,[63] da Zuhöchstsein das höchste Gut ist. Und woraus hat er es geschaffen? Aus nichts. Denn was auch immer ist, es erhält das Sein durch irgendwelche, wenn auch noch so bescheidene Gestalt, und darum ist es, mag es auch das geringste Gut sein, dennoch ein Gut und von Gott. *95.* Denn da die höchste Gestalt das höchste Gut darstellt, ist die niederste Gestalt das niederste Gut. Alles aber, was gut ist, ist entweder Gott oder von Gott. So ist auch die niederste Gestalt von Gott. Was aber von der Gestalt gilt, das gilt auch von der Form. Denn was am schönsten gestaltet ist, preist man auch als schönstgeformt. *96.* Das also, woraus Gott alles schuf, ist das Gestalt- und Formlose, mit anderen Worten das Nichts. Denn was man nur im Vergleich mit dem Vollkommenen formlos nennt, das ist, wenn es auch bloß eine armselige, bloß eine unfertige Form besitzt, noch kein Nichts, und darum stammt es auch, sofern es überhaupt ist, nur von Gott. [36] *97.* Wenn also die Welt aus irgendwelchem formlosen Stoffe gemacht wurde, so ist doch dieser selbst aus dem völligen Nichts gemacht. Denn auch was noch nicht geformt ist, aber insofern einen Anfang genommen hat, als es geformt werden kann, ist durch Gottes Wohltat formbar geworden. Da es ja gut ist, geformt zu sein, ist auch die Möglichkeit der Form ein gewisses Gut. Also hat der Urhe-

formam, ipse fecit etiam posse formari. Ita omne quod est in
quantum est, et omne quod nondum est in quantum esse
potest, ex deo habet. *98.* Quod alio modo sic dicitur: omne
formatum in quantum formatum est, et omne quod nondum
formatum est in quantum formari potest, ex deo habet.
Nulla autem res obtinet integritatem naturae suae, nisi in suo
genere salva sit. Ab eo est autem omnis salus, a quo est omne
bonum; et omne bonum ex deo; salus igitur omnis ex deo.

[XIX.37] *99.* Hinc iam cui oculi mentis patent nec perni-
cioso studio vanae victoriae caligant atque turbantur, facile
intellegit omnia quae vitiantur et moriuntur bona esse,
quamquam ipsum vitium et ipsa mors malum sit. Nisi enim
salute aliqua privarentur, non eis noceret vitium vel mors;
sed si non noceret vitium, nullo modo esset vitium. Si ergo
saluti adversatur vitium et nullo dubitante salus bonum est,
bona sunt omnia quibus adversatur vitium. Quibus autem
adversatur vitium, ipsa vitiantur. *100.* Bona sunt ergo quae
vitiantur, sed ideo vitiantur quia non summa bona sunt.
Quia igitur bona sunt, ex deo sunt; quia non summa bona
sunt, non sunt deus. Bonum ergo quod vitiari non potest
deus est. Cetera omnia bona ex ipso sunt, quae per se ipsa
possunt vitiari, quia per se ipsa nihil sunt; per ipsum autem
partim non vitiantur, partim vitiata sanantur.

ber alles Guten, der die Form verleiht, auch die Möglichkeit, geformt zu werden, verliehen. Demnach stammt alles, was ist, soweit es ist, und alles, was noch nicht ist, soweit es sein kann, von Gott. *98.* Mit anderen Worten: Alles Geformte, soweit es geformt ist, und alles noch nicht Geformte, soweit es geformt werden kann, stammt von Gott. Kein Ding aber bewahrt die Unversehrtheit seiner Natur, wenn es nicht in seiner Art heil ist. Alles Heil aber kommt von dem, von welchem auch alles Gute kommt. Alles Gute aber kommt von Gott, also auch alles Heil.

[XIX.37]   *Vom Guten, das verderbt werden*
        kann, und vom unverderblichen höchsten Gut

99. Hieraus wird jeder, dessen Geistesaugen geöffnet und nicht durch schädliches Trachten nach eitlen Siegen verdunkelt und getrübt sind, leicht einsehen, daß alles, was verderbt wird und stirbt, ein Gut ist, obwohl Verderbnis und Tod selber Übel sind. Denn Verderbnis oder Tod können nur durch Wegnahme irgendwelchen Wohlbefindens Schaden anrichten. Aber wenn Verderbnis nichts schadete, gäbe es gar kein Verderben. Wenn also Verderbnis dem Wohlbefinden widerstreitet und das Wohlbefinden ohne Zweifel ein Gut ist, dann ist alles gut, dem Verderbnis zuwider ist. Ist ihm aber Verderbnis zuwider, ist es selbst verderblich. *100.* Gut also ist, was verderbt werden kann, aber nur darum kann es verderbt werden, weil es nicht das höchste Gut ist. Weil es gut ist, stammt es von Gott, weil es aber nicht das höchste Gut ist, darum ist es nicht selber Gott. Denn das Gut, das nicht verderbt werden kann, ist Gott. Alles übrige dagegen, was gut ist, stammt von ihm, kann freilich, so wie es durch sich selbst ist, verderbt werden, denn durch sich selbst ist es nichts. Durch ihn aber geschieht es, daß es teilweise nicht verderbt, teilweise vom Verderben befreit wird.

[XX.38] *101.* Est autem vitium primum animae rationalis voluntas ea faciendi quae vetat summa et intima veritas. Ita homo de paradiso in hoc saeculum expulsus est, id est ab aeternis ad temporalia, a copiosis ad egena, a firmitate ad infirma; non ergo a bono substantiali ad malum substantiale, quia nulla substantia malum est, sed a bono aeterno ad bonum temporale, a bono spirituali ad bonum carnale, a bono intellegibili ad bonum sensibile, a bono summo ad bonum infimum. *102.* Est igitur quoddam bonum, quod si diligat anima rationalis, peccat, quia infra illam ordinatum est. Quare ipsum peccatum malum est, non ea substantia quae peccando diligitur. Non ergo arbor illa malum est, quae in medio paradiso plantata scribitur, sed divini praecepti transgressio. *103.* Quae cum consequentem habet iustam damnationem, contigit ex illa arbore quae contra vetitum tacta est dinoscentia boni et mali, quia, cum suo peccato anima fuerit implicata, luendo poenas discit quid intersit inter praeceptum quod custodire noluit et peccatum quod fecit. Atque hoc modo malum, quod cavendo non didicit, discit sentiendo; et bonum quod obtemperando minus diligebat, ardentius diligit comparando.

[39] *104.* Vitium ergo animae est quod fecit, et difficultas ex vitio poena quam patitur; et hoc est totum malum. Facere autem et pati non est substantia, quapropter substantia non est malum. Sic enim nec aqua malum est nec animal quod vivit in aere, nam istae substantiae sunt; sed malum est

[XX.38] *Liebe zur niederen statt höheren Güterwelt*
ist sündig und verführt in Irrtümer

101. Das erste Verderben der vernünftigen Seele ist der
Wille, zu tun, was die höchste und innerste Wahrheit verbietet. Infolgedessen ward der Mensch aus dem Paradiese in
unsere Erdenwelt ausgestoßen und gelangte damit vom Ewigen ins Zeitliche, aus der Fülle in den Mangel, aus der Kraft
in die Schwachheit,[64] nicht jedoch aus wesenhaft Gutem zu
wesenhaft Schlechtem. Denn kein Wesen ist schlecht. Sondern er kam vom ewigen Gut zum zeitlichen Gut, vom
geistlichen zum fleischlichen Gut, vom geistig erkennbaren
zum sinnfälligen Gut, vom höchsten zum niedersten Gut.
102. Es gibt also auch ein Gut, durch dessen Liebe die
vernünftige Seele sich versündigt, weil es tiefer steht als sie
selber. Darum ist die Sünde selbst, nicht das Wesen, das sie
sündigend liebt, ein Übel. Nicht jener Baum, der nach der
Schrift mitten im Paradiese gepflanzt wurde, ist übel, sondern die Übertretung des göttlichen Gebotes. *103.* Ihre
Folge ist die gerechte Verdammnis, und so ergibt sich aus
der verbotenen Berührung jenes Baumes die Unterscheidung
von gut und böse. Denn die in Sünde geratene und folglich
der Strafe verfallene Seele lernt nun, welch ein Unterschied
ist zwischen der Erfüllung des Gebotes, die sie abgelehnt,
und der Sünde, die sie begangen. So muß sie das Übel, das
sie nicht kannte, solange sie ihm aus dem Wege ging, erst
fühlen, um es kennenzulernen, und so kommt es dahin, daß
sie das Gute, welches sie ungehorsam[65] zu wenig liebte, nun
vergleichend um so sehnsüchtiger liebt.
[39] *104.* Das Verderben der Seele also ist, was sie tat, und
die daraus erwachsene Erschwernis[66] die Strafe, die sie nun
erleidet. Darin besteht das ganze Übel. Tun aber und Leiden
ist kein Wesen, und darum gibt es auch kein wesenhaftes
Übel.[67] So ist auch das Wasser nicht schlecht und ebenso-
nig das in der Luft lebende Geschöpf, denn beide sind Wesen. Aber sich mutwillig ins Wasser stürzen und infolgedes-

voluntaria praecipitatio in aquam et suffocatio quam mersus patitur. Stilus ferreus alia parte qua scribamus alia qua deleamus affabre factus est et in suo genere pulcher et ad usum nostrum adcommodatus. *105*. At si quispiam ea parte scribere qua deletur, et ea velit delere qua scribitur, nullo modo stilum malum fecerit, cum ipsum factum iure vituperetur. Quod si corrigat, ubi erit malum? Si quis repente meridianum solem intueatur, repercussi oculi turbabuntur. Num ideo aut sol malum erit aut oculi? Nullo modo, sunt enim substantiae; sed malum est inordinatus aspectus et ipsa quae consequitur perturbatio. Quod malum non erit cum oculi fuerint recreati et lucem suam congruenter aspexerint. *106*. Neque cum eadem lux quae ad oculos pertinet, pro luce sapientiae quae ad mentem pertinet, colitur, ipsa fit malum, sed superstitio malum est, qua creaturae potius quam creatori servitur. Quod malum omnino nullum erit cum anima recognito creatore ipsi uni se subiecerit et cetera per eum subiecta sibi esse persenserit.

[40] *107*. Ita omnis corporea creatura, si tantummodo possideatur ab anima quae diliget deum, bonum est infimum et in suo genere pulchrum, quoniam forma et specie continetur. Si autem diligatur ab anima quae negligit deum, ne sic quidem malum fit ipsa, sed quoniam peccatum malum est quo ita diligitur, fit poenalis dilectori suo et eum implicat aerumnis et pascit fallacibus voluptatibus, quia neque permanent neque satiant et torquent doloribus, *108*. quia cum ordinem suum peragit pulchra mutabilitas temporum, deserit amantem species concupita et per cruciatum sentientis discedit a sensibus et erroribus agitat, ut hanc esse primam

sen versinken und ertrinken, ist vom Übel. Der eiserne
Griffel, mit dessen einer Seite wir schreiben, während wir
mit der anderen das Geschriebene tilgen, ist ein in seiner Art
schönes Werkzeug und unserem Gebrauch angepaßt.
105. Will aber jemand mit der Seite schreiben, mit der man
die Schrift auslöscht, und mit der auswischen, mit der man
schreibt, so wird dadurch der Griffel keineswegs schlecht,
während man solches Tun mit Recht tadelt. Ändert man
aber sein Verhalten, ist auch nichts mehr zu tadeln. Wenn
jemand unversehens in die Mittagssonne blickt, wird das
Augenlicht durch den Schock verdunkelt. Aber ist deswegen
die Sonne oder sind die Augen schlecht? Nicht im geringsten, denn sie sind Wesenheiten. Übel dagegen ist der unbe-
dachte Aufblick und die sich ergebende Verdunkelung. Das
Übel schwindet, wenn die Augen sich erholt haben und so
ins Licht sehen, wie es sich gehört. *106.* Auch dann wird das
für die leiblichen Augen bestimmte Licht nicht zu einem
Übel, wenn man es an Stelle des für den Geist bestimmten
Weisheitslichtes verehrt,[68] doch der Aberglaube, welcher
statt des Schöpfers dem Geschöpf huldigt, ist ein Übel.[69]
Dies Übel aber wird gänzlich beseitigt, wenn die Seele ihren
Schöpfer erkennt, ihm allein sich unterwirft und begreift,
daß er ihr das übrige unterworfen hat.
[40] *107.* So ist jede körperliche Kreatur, wofern eine Gott
liebende Seele sie besitzt, eins der niedrigsten Güter, aber in
ihrer Art doch schön, weil sie durch Form und Gestalt ihren
Bestand hat. Wird sie aber von einer nichts nach Gott
fragenden Seele geliebt, so wird sie zwar auch dadurch nicht
schlecht, aber weil solche Liebe schlecht ist, bringt sie ihrem
Liebhaber Strafe, verstrickt ihn in Sorgen und speist ihn mit
trügerischen Lüsten, die weder dauern noch sättigen, sondern nur schmerzen und quälen. *108.* Denn wohl ist auch
der Wandel der Zeiten schön, aber wenn er seiner Bestimmung gemäß abläuft, verläßt den Liebenden die begehrte
Gestalt und entschwindet unter bitteren Gefühlen seinen
Sinnen, verleitet ihn auch noch zum Irrtum. Denn er bildet

speciem putet, quae omnium infima est, naturae scilicet
corporeae, quam per lubricos sensus caro male dilecta
nuntiaverit, ut cum aliquid cogitat, intellegere se credat,
umbris inlusus phantasmatum. *109*. Si quando autem non
tenens integram divinae providentiae disciplinam, sed tenere
se arbitrans carni resistere conatur, usque ad visibilium
rerum imagines pervenit et lucis huius, quam certis terminis
circumscriptam videt, immensa spatia cogitatione format
inaniter. Et hanc spem sibi futurae habitationis pollicetur,
nesciens oculorum concupiscentiam se trahere et cum hoc
mundo ire velle extra mundum; quem propterea ipsum esse
non putat, quia eius clariorem partem per infinitum falsa
cogitatione distendit. *110*. Quod non solum de hac luce, sed
etiam de aqua, postremo de vino, de melle, de auro, de
argento, de ipsis denique pulpis vel sanguine vel ossibus
quorumlibet animalium et ceteris huiuscemodi rebus facillime fieri potest. Nihil enim est corporis quod non vel unum
visum possit innumerabiliter cogitari vel in parvo spatio
visum possit eadem imaginandi facultate per infinita dif-
fundi. Sed facillimum est execrari carnem, difficillimum
autem non carnaliter sapere.

[XXI.41] *111*. Hac ergo perversitate animae, quae contigit
peccato atque supplicio, fit omnis natura corporea illud
quod per Salomonem dicitur: »Vanitas vanitantium et omnia
vanitas. Quae habundantia homini in omni labore eius, quae
ipse laborat sub sole?« Neque enim frustra est additum

sich ein, sie sei die vornehmste Gestalt, die doch von allen die niederste, nämlich bloß körperlich ist und die das verkehrterweise geliebte Fleisch durch die trügerischen Sinne wahrnimmt. So glaubt er denn, das, was er sich, von solchen Phantasiebildern betrogen, etwa vorstellt, auch wirklich zu erkennen. *109.* Wenn er nun die wahre Wissenschaft, wie sie von Gott vorgesehen ist, nicht erfaßt, aber sich einredet, sie zu erfassen, versucht er wohl, dem Fleisch zu widerstehen, und erfindet Abbilder der sichtbaren Dinge. Er denkt sich in eitlem Wahn dies unser Licht, das er nur in begrenztem Umfange vor Augen hat, über unendliche Räume ausgedehnt und meint, da sei ihm die künftige Wohnung verheißen. Er sieht nicht ein, daß seiner Augen Lust ihn dazu verführt und daß er mit dieser Welt aus der Welt herausgehen will. Denn weil er durch falschen Denkakt ihren lichteren Teil ins Unendliche ausdehnt, glaubt er, es sei nicht mehr diese Welt. *110.* Das könnte man bequem nicht nur mit diesem Lichte machen, sondern ebenso mit Wasser, sodann auch mit Wein, Honig, Gold, Silber, ja zu guter Letzt mit Fleisch, Blut und Knochen aller möglichen Geschöpfe und was weiß ich, womit sonst noch. Denn es gibt nichts Körperliches, das man sich nicht, wenn man es einmal erblickt, unzählig vervielfältigt, und wenn man es auf engen Raum beschränkt erblickt, durch dieselbe Einbildungskraft unendlich ausgedehnt vorstellen könnte. Wahrlich, es ist sehr leicht, das Fleisch zu verwünschen, aber sehr schwer, nicht fleischlich zu denken.

[XXI.41]   *Dem Eitlen ist alles eitel*

111. Durch diese Verderbtheit der Seele, eine Folge der Sünde und Sündenstrafe, wird die ganze körperliche Welt zu dem, was Salomo mit den Worten beschreibt: »Eitelkeit der Eitlen,[70] es ist alles ganz eitel. Was hat der Mensch für Gewinn von all seiner Mühe, die er hat unter der Sonne?«[71]

›vanitantium‹, quia si vanitantes detrahas, qui tamquam prima sectantur extrema, non erit corpus vanitas, sed in suo genere quamvis extremam pulchritudinem sine ullo errore monstrabit. *112.* Temporalium enim specierum multiformitas ab unitate dei hominem lapsum per carnales sensus diverberavit et mutabili varietate multiplicavit eius affectum. Ita facta est abundantia laboriosa et, si dici potest, copiosa egestas, dum aliud et aliud sequitur et nihil cum eo permanet. Sic a tempore frumenti, vini et olei sui multiplicatus est, ut non inveniat id ipsum, id est naturam incommutabilem et singularem, quam secutus non erret et adsecutus non doleat. Habebit enim etiam consequentem redemptionem corporis sui, quod iam non corrumpetur. *113.* Nunc vero corpus »quod corrumpitur adgravat animam, et deprimit terrena inhabitatio sensum multa cogitantem«, quia rapitur in ordinem successionis extrema corporum pulchritudo. Nam ideo extrema est, quia simul non potest habere omnia; sed dum alia cedunt atque secedunt, temporalium formarum numerum in unam pulchritudinem complent.

[XXII.42] *114.* Et hoc totum non propterea malum quia transit. Sic enim et versus in suo genere pulcher est, quamvis duae syllabae simul dici nullo modo possint; nec enim secunda enuntiatur, nisi prima transierit; atque ita per ordinem pervenitur ad finem, ut cum sola ultima sonat, non

Nicht umsonst heißt es ›der Eitlen‹. Denn nimmst du die Eitlen weg, die dem Letzten nachjagen, als wäre es das Erste, alsdann wäre der Körper nicht Eitelkeit, sondern würde in seiner Art ohne Täuschung eine wahre Schönheit, sei's auch nur die niederste, darstellen. *112.* Denn die Fülle der zeitlichen Formen hat den von der Einheit Gottes gefallenen Menschen durch die fleischlichen Sinne zerstreut und durch die sich wandelnde Mannigfaltigkeit seine Neigungen vervielfältigt. So entstand jener mühselige Überfluß und jenes sozusagen üppige Darben, da ein Ding das andere ablöst und dem Menschen nichts bleibt. So ist er zeitlich ausgefüllt und zersplittert in seiner Sorge um Getreide, Wein und Öl und findet das, worauf es ankommt,[72] nicht, nämlich das unwandelbare und einzigartige Wesen. Aber nur wenn man dem nachgeht, gibt es keinen Irrtum, und wenn man es erlangt, keinen Kummer. Denn dann wird einem auch die Erlösung des Leibes geschenkt, der nun nicht mehr verwesen kann. *113.* Denn jetzt beschwert noch »der verwesliche Leib die Seele, und die irdische Behausung drückt den vieles bedenkenden Sinn«,[73] da die niedere Schönheit der Körper sich nur in einer Aufeinanderfolge von Eindrücken kundtut. Denn darum ist sie so niedrig, weil sie nicht alles zugleich darbieten kann, sondern weil beim Kommen und Gehen des einen und anderen eine Menge von zeitlichen Formen die eine Schönheit hervorbringt.

[XXII.42] *Das Weltall, als Ganzes betrachtet,*
ist schön[74]

114. Aber all das ist nicht deswegen schlecht, weil es vergänglich ist. Denn ebenso ist auch ein Vers in seiner Art schön, obwohl zwei Silben nicht zugleich ausgesprochen werden können. Die zweite kann ja nicht laut werden, wenn nicht die erste vergangen ist, und ordnungsgemäß gelangt man in der Weise zum Ende, daß die letzte Silbe, wenn sie

secum sonantibus superioribus, formam tamen et decus metri cum praeteritis contexta perficiat. *115.* Nec ideo tamen ars ipsa, qua versus fabricatur, sic tempori obnoxia est, ut pulchritudo eius per mensuras morarum digeratur, sed simul habet omnia, quibus efficit versum non simul habentem omnia, sed posterioribus priora tollentem, propterea tamen pulchrum, quia extrema vestigia illius pulchritudinis ostentat quam constanter atque incommutabiliter ars ipsa custodit. [43] *116.* Itaque, ut nonnulli perversi magis amant versum quam ipsam artem qua conficitur versus, quia plus se auribus quam intellegentiae dediderunt, ita multi temporalia diligunt, conditricem vero ac moderatricem temporum divinam providentiam non requirunt. Atque in ipsa dilectione temporalium nolunt transire quod amant, et tam sunt absurdi quam si quisquam in recitatione praeclari carminis unam aliquam syllabam solam perpetuo vellet audire. *117.* Sed tales auditores carminum non inveniuntur, talibus autem rerum existimatoribus plena sunt omnia, propterea quia nemo est qui non facile non modo totum versum sed etiam totum carmen possit audire, totum autem ordinem saeculorum sentire nullus hominum potest. Huc accedit quod carminis non sumus partes, saeculorum vero partes damnatione facti sumus. Illud ergo canitur sub iudicio nostro, ista peraguntur de labore nostro. *118.* Nulli autem victo ludi agonistici placent, sed tamen cum eius dedecore decori sunt; et haec enim quaedam imitatio veritatis est. Nec ob aliud a talibus prohibemur spectaculis, nisi ne umbris rerum decepti ab ipsis rebus quarum illae umbrae sunt aberremus. Ita universitatis huius conditio atque administratio solis impiis

allein ertönt und ohne daß die früheren noch mittönen, in Verbindung mit den vorangegangenen die metrische Form und Zier zur Vollendung bringt. *115.* Auch ist die Dichtkunst selber, die die Verse gestaltet, nicht derartig der Zeit unterworfen, daß ihre Schönheit sich erst nach und nach entfalten könnte, sondern sie hat alles zugleich inne, was den Vers hervorbringt, der seinerseits nicht alles zugleich innehat, sondern mit seinen späteren Teilen die früheren verdrängt. Trotzdem ist auch er schön, weil er die niedersten Spuren jener Schönheit aufweist, die die Dichtkunst selber beständig und unwandelbar bewahrt. [43] *116.* Doch es gibt einige Wirrköpfe, die den Vers mehr lieben als die Dichtkunst, die ihn hervorbringt, weil sie die Ohren vor der Einsicht bevorzugen, und ebenso schätzen viele das zeitlichen Dinge, fragen aber nichts nach der göttlichen Vorsehung, die die Zeiten schafft und ordnet. In dieser Hochschätzung des Zeitlichen wollen sie nicht fahren lassen, was sie lieben, und sind so unsinnig, wie wenn einer beim Vortrag eines schönen Gedichtes immer nur eine einzige Silbe hören wollte. *117.* Solche Hörer von Gedichten gibt es freilich nicht, aber von solchen Beurteilern der Wirklichkeit ist alles voll. Denn niemand ist, der nicht mühelos einen ganzen Vers, ja ein ganzes Gedicht hören könnte, während kein Mensch den geordneten Ablauf der Erdenwelt ganz erfassen kann. Es kommt noch hinzu, daß wir zwar keine Teile eines Gedichtes, wohl aber infolge der Verdammnis Teile dieser Erdenwelt geworden sind.[75] So unterliegt der Vortrag eines Gedichtes unserem objektiven Urteil, während wir am Weltlauf mit unserer eigenen Mühsal beteiligt sind. *118.* Keinem Unterliegenden gefallen die Kampfspiele, zu deren Zierde doch auch seine Schmach gehört, und eben das ist eine Widerspiegelung der Wahrheit. Deswegen ist uns ja der Besuch der Schauspiele verwehrt, damit wir nicht, vom Schattenbild der Dinge getäuscht, die von ihnen abgeschatteten Dinge selber verfehlen. Ebenso mißfällt die Beschaffenheit und Leitung dieses Weltalls bloß den gottlo-

animis damnatisque non placet; sed etiam cum miseria
earum multis vel in terra victricibus vel in caelo sine periculo
spectantibus placet. Nihil enim iustum displicet iusto.

[XXIII.44] *119.* Quocirca, cum omnis anima rationalis aut
peccatis suis misera sit aut recte factis beata, omnis autem
inrationalis aut cedat potentiori aut pareat meliori aut com-
paretur aequali aut certantem exerceat aut damnato noceat et
omne corpus suae animae serviat quantum pro eius meritis et
pro rerum ordine sinitur, nullum malum est naturae universae, sed sua cuique culpa fit malum. *120.* Porro cum anima
per dei gratiam regenerata et in integrum restituta et illi
subdita uni a quo creata est, instaurato etiam corpore in
pristinam firmitatem non cum mundo possideri sed
mundum possidere coeperit, nullum ei malum erit, quia ista
infima pulchritudo temporalium vicissitudinum, quae cum
ipsa peragebatur, sub ipsa peragetur, et erit, ut scriptum est,
caelum novum et terra nova, non in parte laborantibus
animis, sed in universitate regnantibus. »Omnia enim
vestra«, inquit apostolus, »vos autem Christi, Christus
autem dei«; et »Caput mulieris vir, caput viri Christus,
caput autem Christi deus.« *121.* Quoniam igitur animae
vitium non natura eius, sed contra naturam eius est, nihilque
aliud est quam peccatum et poena peccati, inde intellegitur
nullam naturam vel, si melius ita dicitur, nullam substantiam

sen und verdammten Seelen, aber den vielen teils schon auf
Erden siegreichen, teils aller Gefahr entrückten, vom Himmel niederblickenden Seelen gefällt es wohl, und zwar mit
Einschluß des Elendes der Erstgenannten. Denn nichts, was
gerecht ist, kann dem Gerechten mißfallen.

[XXIII.44] *Sünde und Sündenstrafe tun dem
keinen Abbruch*

119. Da nun jede vernunftbegabte Seele entweder infolge
ihrer Sünden elend oder infolge ihres Rechttuns glückselig
ist, jede vernunftlose aber entweder einer mächtigeren
weicht oder einer besseren sich fügt oder mit einer gleichen
sich mißt, entweder den Streitenden übt oder dem Verdammten schadet, und da jeder Leib seiner Seele dient,
soweit sie dessen würdig ist und die Ordnung der Dinge es
erlaubt, darum haftet der Natur in ihrer Gesamtheit kein
Übel an, sondern jedem wird seine eigene Schuld zum Übel.
120. Wenn also die Seele durch Gottes Gnade wiedergeboren ist, ihre Unversehrtheit zurückerlangt und sich dem
allein unterworfen hat, der sie schuf, wenn auch ihr Leib zur
ursprünglichen Dauer erneuert ist und sie angefangen hat,
statt von der Welt besessen zu werden, die Welt zu besitzen,
dann wird es für sie kein Übel mehr geben. Denn jene
niederste Schönheit zeitlichen Wechselspiels, die einst mit
ihr ablief, wird nun unter ihr ablaufen, und »ein neuer
Himmel wird sein und eine neue Erde«, wo die Seelen sich
nicht in einem Teilstück abmühen, sondern über das Ganze
herrschen. »Denn alles ist euer«, sagt der Apostel, »ihr aber
seid Christi, Christus aber ist Gottes«,[76] und »Der Mann ist
des Weibes Haupt, das Haupt des Mannes Christus, das
Haupt aber Christi ist Gott«.[77] *121.* Da also das, was an der
Seele fehlerhaft ist, ihr nicht natürlich, sondern naturwidrig
ist, nämlich nichts anderes als Sünde und Sündenstrafe,
ergibt sich, daß keine Natur, oder wenn das besser gesagt

sive essentiam malum esse; neque de peccatis poenisque
animae efficitur ut universitas ulla deformitate turpetur, quia
rationalis substantia quae ab omni peccato munda est, deo
subiecta subiectis sibi ceteris dominatur, ea vero quae pecca-
vit ibi ordinata est ubi esse tales decet, ut deo conditore
atque rectore universitatis decora sint omnia. Et est pulchritudo universae creaturae per haec tria inculpabilis: damnatione peccatorum, exercitatione iustorum, perfectione bea-
torum.

[XXIV.45] _122._ Quam ob rem ipsa quoque animae medicina, quae divina providentia et ineffabili beneficentia geri-
tur, gradatim distincteque pulcherrima est. Tribuitur enim
in auctoritatem atque rationem: auctoritas fidem flagitat et
rationi praeparat hominem, ratio ad intellectum cognitio-
nemque perducit. Quamquam neque auctoritatem ratio
penitus deserit, cum consideratur cui credendum sit; et certe
summa est ipsius iam cognitae atque perspicuae veritatis
auctoritas. _123._ Sed quia in temporalia devenimus et eorum
amore ab aeternis impedimur, quaedam temporalis medicina, quae non scientes, sed credentes ad salutem vocat, non
naturae et excellentiae, sed ipsius temporis ordine prior est.
Nam in quem locum quisque ceciderit ibi debet incumbere
ut surgat. _124._ Ergo ipsis carnalibus formis quibus detine-
mur nitendum est ad eas cognoscendas quas caro non nun-

ist, keine Substanz oder Wesenheit schlecht ist. Und weder die Sünden noch die Strafen der Seele können das Weltall im geringsten verunstalten. Denn wenn ein vernunftbegabtes Wesen von allen Sünden rein und Gott unterworfen ist, dann ist seiner Herrschaft alles übrige unterworfen. Ein sündiges Wesen dagegen wird dahin verwiesen, wohin es seiner Beschaffenheit nach gehört, so daß die Zier des Weltalls, dessen Schöpfer und Lenker Gott ist, nicht beeinträchtigt wird. So ist es dreierlei, was die Schönheit des Alls als untadelig erweist, die Verdammnis der Sünder, die Prüfung der Gerechten und die Vollendung der Seligen.

[XXIV.45] *Die doppelte Arznei, Autorität und
Vernunft*

122. Dementsprechend ist auch die Arznei der Seele, welche die göttliche Vorsehung in unsäglicher Güte darreicht, sehr köstlich. Es sind zwei verschiedene Heilmittel, die aufeinanderfolgend zur Anwendung kommen müssen, nämlich Autorität und Vernunft. Die Autorität verlangt Glauben und bereitet den Menschen auf die Vernunft vor. Die Vernunft führt zur Einsicht und Erkenntnis. Doch ist auch die Autorität nicht gänzlich von Einsicht verlassen, da man sich überlegen muß, wem man glauben soll, und nicht minder eignet auch der bereits einleuchtenden und erkannten Wahrheit unzweifelhaft höchste Autorität. *123.* Aber da wir ins Zeitliche verschlagen sind und durch die Liebe zu ihm vom Ewigen zurückgehalten werden, muß eine zeitliche Arznei, die nicht Wissende, sondern Glaubende zum Heil ruft, den Vortritt haben – nur in zeitlicher Hinsicht, versteht sich, nicht als wäre sie von vorzüglicherer Beschaffenheit.[78] Denn ebenda, wo jemand hingefallen ist, muß er sich auch aufstemmen, um wieder hochzukommen. *124.* So muß man sich auf dieselben fleischlichen Formen, die uns fesseln, stützen, um zur Erkenntnis derer zu gelangen, von denen

tiat; eas enim carnales voco quae per carnem sentiri queunt,
id est per oculos, per aures ceterosque corporis sensus. His
ergo carnalibus vel corporalibus formis inhaerere amore
pueros necesse est; adulescentes vero prope necesse est; hinc
iam procedente aetate non est necesse.

[XXV.46] *125*. Quoniam igitur divina providentia non
solum singulis hominibus quasi privatim, sed universo
generi humano tamquam publice consulit, quid cum singulis
agatur deus qui agit atque ipsi cum quibus agitur sciunt.
Quid autem agatur cum genere humano per historiam com-
mendari voluit et per prophetiam. Temporalium autem
rerum fides sive praeteritarum sive futurarum magis cre-
dendo quam intellegendo valet. *126*. Sed nostrum est considerare quibus vel hominibus vel libris credendum sit ad
colendum recte deum, quae una salus est. Huius rei prima
disceptatio est, utrum his potius credamus qui ad multos
deos, an his qui ad unum deum colendum nos vocant. Quis
dubitet eos potissimum sequendos qui ad unum vocant,
praesertim cum illi multorum cultores de hoc uno domino
cunctorum et rectore consentiant? Et certe ab uno incipit
numerus. *127*. Prius ergo isti sequendi sunt qui unum deum
summum, solum verum deum et solum colendum esse
dicunt. Si apud hos veritas non eluxerit, tum demum

das Fleisch keine Kunde geben kann. Freilich nenne ich diejenigen Formen, die durchs Fleisch, nämlich die Augen, Ohren und übrigen leiblichen Sinne, wahrgenommen werden können. An den fleischlichen oder körperlichen Formen haften naturgemäß die Knaben, und auch bei den Jünglingen macht sich dieser Zwang mehr oder weniger noch geltend. Bei fortschreitendem Alter fällt er dann hin.[79]

[XXV.46] *Das Kennzeichen der rechten Autorität*
und die vorübergehende Bedeutung der Wunder

125. Die göttliche Vorsehung nimmt sich nun nicht nur gewissermaßen privat der einzelnen Menschen an, sondern auch und sozusagen öffentlich des gesamten Menschengeschlechts. Wie Gott mit den Einzelnen verfährt, das weiß er, und sie selber, denen es widerfährt, wissen es auch. Wie er aber mit dem Menschengeschlecht verfährt, das sollen nach seinem Willen Geschichte und Weissagung kundmachen. Handelt es sich nun um zeitliche Dinge, sei es vergangene, sei es zukünftige, so ist man mehr auf Glauben als auf Einsicht angewiesen. 126. Doch bleibt es unsere Aufgabe, zu erwägen, welchen Menschen oder Schriften man glauben soll, um Gott recht zu verehren, worin unser alleiniges Heil besteht. Da muß man nun zunächst fragen, ob man denen mehr glauben soll, die uns zur Verehrung vieler Götter aufrufen, oder denen, die nur von einem Gotte wissen wollen. Wer aber möchte da zweifeln, daß man am ersten denen folgen muß, die uns zu dem Einen rufen, zumal auch die Verehrer der vielen Götter mit ihnen darin übereinstimmen, daß dieser Eine Herr und Gebieter aller übrigen sei? Ohne Zweifel beginnen ja die Zahlen mit der Eins. 127. Zuvörderst muß man also denen folgen, die sagen, der eine Gott sei der höchste, einzige, wahre und darum auch allein zu verehrende Gott. Erst dann, wenn bei ihnen die Wahrheit nicht an den Tag kommen sollte, müßte man wei-

migrandum est. Sicut enim in ipsa rerum natura maior est auctoritas unius ad unum omnia redigentis nec in genere humano multitudinis ulla potentia est nisi consentientis, id est unum sentientis, ita in religione qui ad unum vocant, eorum maior et fide dignior esse debet auctoritas. [47] *128.* Altera consideratio est dissensionis eius quae de unius dei cultu inter homines orta est. Sed accepimus maiores nostros eo gradu quo a temporalibus ad aeterna conscenditur visibilia miracula – non enim aliter poterant – secutos esse; per quos id actum est, ut necessaria non essent posteris. Cum enim ecclesia catholica per totum orbem diffusa atque fundata sit, nec miracula illa in nostra tempora durare permissa sunt, ne anima semper visibilia quaereret et eorum consuetudine frigesceret genus humanum quorum novitate flagravit; nec iam nobis dubium esse oportet his esse credendum qui, cum ea praedicent quae pauci adsecuntur, se tamen sequendos populis persuadere potuerunt. *129.* Nunc enim agitur quibus credendum sit, antequam quisque sit idoneus ineundae rationi de divinis et invisibilibus rebus. Nam ipsi rationi purgatioris animae, quae ad perspicuam veritatem pervenit, nullo modo auctoritas humana praeponitur. Sed ad hanc nulla superbia perducit. Quae si non esset, non essent heretici neque schismatici nec carne circumcisi nec creaturae simulacrorumque cultores. Hi autem si non essent ante perfectionem populi quae promittitur, multo pigrius veritas quaereretur.

ter sehen.[80] Denn wie im Naturzusammenhang das Ansehen
der Einzahl, die alles zur Einheit bringt, überragend ist, und
wie im Menschengeschlecht die Menge machtlos ist, wenn
sie nicht übereinkommt, das heißt einer Meinung ist, so muß
auch auf dem Felde der Religion die Autorität derer, die uns
zum Einen rufen, die größere und glaubwürdigere sein.
[47] *128.* Eine zweite Überlegung gilt den verschiedenen
Ansichten, die betreffs der Verehrung des einen Gottes
unter den Menschen aufgekommen sind. Man hat uns überliefert, daß unsere Vorfahren auf der Glaubensstufe, auf der
man vom Zeitlichen zum Ewigen emporsteigt, sichtbaren
Wunderzeichen folgten. Denn damals war es ihnen noch
nicht anders möglich. Aber nun verdanken wir es ihnen, daß
uns Späteren das nicht mehr nötig ist. Denn da sich jetzt die
katholische Kirche über den ganzen Erdkreis ausgebreitet
und Festigkeit erlangt hat, mußten jene Wunder aufhören.[81]
Denn der Geist sollte nicht immer am Sichtbaren hängen
und das Menschengeschlecht nicht durch Gewöhnung an die
Wunder erkalten, die es einst, als sie neu waren, in Begeisterung versetzt hatten. Aber uns darf es heute nicht zweifelhaft sein, daß wir denen Glauben schenken müssen, deren
Predigt zwar nur wenige ganz fassen können, die aber
gleichwohl das Volk überreden konnten, ihnen zu folgen.
129. Denn jetzt handelt es sich darum, wem man glauben
muß, ehe man imstande ist, mit Vernunft an die göttlichen
und unsichtbaren Dinge heranzugehen. Keineswegs wird ja
die menschliche Autorität der Vernunft einer gereinigten
Seele, die zum Schauen der Wahrheit gelangen kann, vorge-
zogen. Aber zu solchem Schauen findet Hochmut nicht hin.
Gäbe es diesen nicht, dann gäbe es keine Ketzer, keine
Sektierer, keine Verfechter der Beschneidung des Fleisches,
keine Anbeter der Kreatur und der Götzenbilder. Gäbe es
aber diese nicht, ehe das Volk zur verheißenen Vollendung
gelangt, würde die Wahrheit viel lässiger gesucht werden.

[XXVI.48] *130.* Dispensatio ergo temporalis et medicina divinae providentiae erga eos qui peccato mortalitatem meruerunt, sic traditur. Primo unius hominis cuiuslibet nascentis natura et eruditio cogitatur. Prima huius infantia in nutrimentis corporalibus agitur, penitus obliviscenda crescenti. Eam pueritia sequitur, unde incipimus aliquid meminisse. Huic succedit adulescentia, cui iam propagationem prolis natura permittit et patrem facit. *131.* Porro adulescentiam iuventus excipit, iam exercenda muneribus publicis et domanda sub legibus. In qua vehementior prohibitio peccatorum et poena peccantium serviliter coercens carnalibus animis atrociores impetus libidinis gignit et omnia commissa congeminat. Non enim simplex peccatum est, non solum malum sed etiam vetitum admittere. Post labores autem iuventutis seniori pax nonnulla conceditur. Inde usque ad mortem deterior aetas ac decolor et morbis subiectior debilisque perducit. *132.* Haec est vita hominis viventis ex corpore et cupiditatibus rerum temporalium colligati. Hic dicitur vetus homo et exterior et terrenus, etiamsi obtineat eam quam vulgus vocat felicitatem, in bene constituta terrena civitate sive sub regibus sive sub principibus sive sub legibus sive sub his omnibus. Aliter enim bene constitui populus non potest, etiam qui terrena sectatur; habet quippe et ipse modum quendam pulchritudinis suae.

[XXVI.48]   *Die Altersstufen des natürlichen und*
geistlichen Menschen

130. Was nun den zeitlichen Werdegang des von Gottes
Vorsehung bewirkten Heilsprozesses im Leben derer
anlangt, die infolge ihrer Sünde sterblich wurden, so stellt er
sich uns folgendermaßen dar. Denken wir zunächst an die
natürliche Beschaffenheit und Entwicklung jedes Menschen
von seiner Geburt an. Das erste Lebensalter, die frühe
Kindheit, die der Heranwachsende völlig vergißt, kennt nur
leibliche Nahrungsaufnahme. Ihr folgt das Knabenalter,
dessen wir uns teilweise erinnern. Das Jünglingsalter
schließt sich an, dem die Natur bereits die Fähigkeit verlieh,
sich fortzupflanzen und Vater zu werden. *131.* Auf der
nächsten Stufe steht der junge Mann, der schon durch
Übernahme öffentlicher Pflichten geübt und durch Gesetze
in Zucht gehalten werden muß. Hier erzeugt das strengere
Verbot der Sünden und die als knechtischer Zwang empfun-
dene Sündenstrafe in fleischlichen Gemütern um so heftigere
Leidenschaften und verdoppelt dadurch alle Übeltaten.
Denn nun besteht die Verkehrtheit nicht einfach darin, daß
man Böses tut, sondern auch darin, daß man Verbote übertritt.[82] Nach den Mühsalen dieses Lebensabschnittes erlangt
der ältere Mann eine gewisse Beruhigung. Von da bis zum
Tode führt ein Lebensalter, das trüber und freudloser, mehr
den Krankheiten ausgesetzt und hinfällig ist. *132.* Das ist das
Leben eines Menschen, der seinem Leibe lebt und sich im
Banne der Begierden nach zeitlichen Gütern befindet. Man
nennt ihn den alten, wohl auch den äußerlichen und irdischen Menschen,[83] und es mag wohl sein, daß er das besitzt,
was die Masse Glück nennt, und daß er in einem wohlgeord-
neten irdischen Staatswesen unter Königen oder Fürsten
oder Gesetzen oder auch unter allen dreien lebt. Denn auf
andere Weise kann ein Volk nicht in Ordnung gehalten
werden, auch wenn es ihm nur um irdische Dinge zu tun ist.
Auch so besitzt es ja ein gewisses Maß von Schönheit.

[49] *133.* Hunc autem hominem, quem veterem et exteriorem et terrenum descripsimus, sive in suo genere moderatum sive etiam servilis iustitiae modum excedentem nonnulli totum agunt ab istius vitae ortu usque ad occasum. Nonnulli autem vitam istam necessario ab illo incipiunt, sed renascuntur interius et ceteras partes suo robore spiritali et incrementis sapientiae corrumpunt et necant et in caelestes leges, donec post visibilem mortem totum instauretur, adstringunt. *134.* Iste dicitur novus homo et interior et caelestis, habens et ipse proportione non annis sed provectibus distinctas quasdam spiritales aetates suas: primam in uberibus utilis historiae, quae nutrit exemplis, secundam iam obliviscentem humana et ad divina tendentem, in qua non auctoritatis humanae continetur sinu, sed ad summam et incommutabilem legem passibus rationis innititur, tertiam iam fidentiorem et carnalem appetitum rationis robore maritantem gaudentemque intrinsecus in quadam dulcedine coniugali, cum anima menti copulatur et velamento pudoris obnubitur, ut iam recte vivere non cogatur, sed etiamsi omnes concedant, peccare non libeat, *135.* quartam iam id ipsum multo firmius ordinatiusque facientem et emicantem in virum perfectum atque aptam et idoneam omnibus et persecutionibus et mundi huius tempestatibus ac fluctibus sustinendis atque frangendis, quintam pacatam atque omni ex parte tranquillam, viventem in opibus et abundantia incommutabilis regni summae atque ineffabilis sapientiae, sextam omnimodae mutationis in aeternam vitam et usque

[49] *133.* Das ist der Mensch, den wir als alten, äußeren und irdischen charakterisiert haben, mag er nun auf seine Art maßvoll leben oder auch sich über das Maß knechtischer Rechtschaffenheit hinwegsetzen. Manche kommen von Anfang bis Ende des Lebens nicht darüber hinaus, andere aber beginnen zwar notwendigerweise ihr Leben ebenso, aber sie werden innerlich wiedergeboren. Dann schwächen und töten sie die Reste des alten Menschen durch die Kraft des Geistes und der zunehmenden Weisheit und binden ihn an die himmlischen Gesetze, bis er schließlich nach dem leiblichen Tode in seiner Ganzheit erneuert wird. *134.* Nun heißt er der neue, innere und himmlische Mensch und hat gleichfalls seine geistlichen Altersstufen, die nicht nach Jahren, sondern nach der Höhe des Fortschritts zu unterscheiden sind. Die erste Stufe verlebt er gleichsam an der Mutterbrust der heilsamen Geschichte, die ihn mit Vorbildern nährt. Auf der zweiten beginnt er bereits das Menschliche dahintenzulassen und zum Göttlichen aufzustreben. Da birgt ihn nicht mehr der Schoß menschlicher Autorität, sondern mit den Schritten der Vernunft steigt er zum höchsten und unwandelbaren Gesetz empor.[84] Auf der dritten Stufe wird er schon mutiger, nimmt die fleischliche Begierde durch die Kraft der Vernunft in Zucht und genießt innerlich gewissermaßen eheliche Freuden, indem seine Seele sich in schamvoller Verhüllung dem Geiste vermählt. Nun muß er nicht mehr gezwungen werden, recht zu leben, sondern mag nicht mehr sündigen, auch wenn niemand ihn daran hindert. *135.* Die vierte Stufe macht ihn hierin noch fester und sicherer und läßt ihn zu vollkommener Männlichkeit sich erheben, so daß er zu allem fähig und imstande ist, Verfolgungen sowie Stürme und Fluten dieser Welt auszuhalten und zu überwinden. Auf der fünften stellt sich Ruhe ein und vollständige Befriedung. Nun lebt er im Genuß der Schätze und des Überflusses des unwandelbaren Reiches höchster und unaussprechlicher Weisheit. Die sechste bringt ihm die völlige Umwandlung ins ewige Leben. Jetzt gelangt er zum

ad totam oblivionem vitae temporalis transeuntem, perfecta
forma quae facta est ad imaginem et similitudinem dei.
Septima enim iam quies aeterna est et nullis aetatibus distin-
guenda beatitudo perpetua. Ut enim finis veteris hominis
mors est, sic finis novi hominis vita aeterna. Ille namque
homo peccati est, iste iustitiae.

[XXVII.50] *136.* Sicut autem isti ambo nullo dubitante ita
sunt ut unum eorum, id est veterem atque terrenum, possit
in hac tota vita unus homo agere, novum vero et caelestem
nemo in hac vita possit nisi cum vetere – nam et ab ipso
incipiat necesse est et usque ad visibilem mortem cum illo,
quamvis eo deficiente se proficiente, perduret –, sic proportione universum genus humanum, cuius tamquam unius
hominis vita est ab Adam usque ad finem huius saeculi, ita
sub divinae providentiae legibus administratur ut in duo
genera distributum appareat. *137.* Quorum in uno est turba
impiorum, terreni hominis imaginem ab initio saeculi usque
ad finem gerentium, in altero series populi uni deo dediti,
sed ab Adam usque ad Iohannem Baptistam terreni hominis
vitam gerens servili quadam iustitia. Cuius historia Vetus
Testamentum vocatur, quasi terrenum pollicens regnum.
Quae tota nihil est aliud quam imago novi populi et Novi
Testamenti pollicentis regnum caelorum. *138.* Cuius populi

gänzlichen Vergessen des zeitlichen Lebens und gewinnt die
vollendete Gestalt, die geschaffen ist nach Gottes Ebenbild
und Gleichnis. Die siebente aber ist die ewige Ruhe, die
dauernde Glückseligkeit, wo es keine verschiedenen Lebensalter mehr gibt. Denn wie der Tod das Endziel des alten
Menschen, des Menschen der Sünde ist, so ist das ewige
Leben Endziel des neuen, des Menschen der Gerechtigkeit.[85]

[XXVII.50]   *Alt und neu im Einzelleben*
           und in der Menschheitsgeschichte

136. Mit diesen beiden verhält es sich ohne Zweifel so, daß
der eine, nämlich der alte und irdische, lebenslänglich das
Feld beherrschen kann, während der neue und himmlische
in diesem Leben den alten noch nicht los wird. Denn mit
diesem fängt nun einmal unvermeidlich das Leben an, und
bis zum leiblichen Tode muß der neue Mensch ihn ertragen,
wenn auch der alte schwächer wird, während er selbst sich
kräftigt. Nach demselben Verhältnis wird das ganze Menschengeschlecht von Adam bis zum Ende der Weltzeit, das
man sich als das Leben eines einzigen Menschen vorstellen
kann, von den Gesetzen der göttlichen Vorsehung so geleitet, daß es in zwei Abteilungen zerfällt. *137.* Zur ersten
gehört die Masse der Gottlosen, die vom Anfang bis zum
Ende der Welt das Bild des irdischen Menschen an sich trägt.
Zur zweiten die Geschlechterfolge des dem einen Gott
ergebenen Volkes, das jedoch von Adam bis zu Johannes
dem Täufer in einer Art knechtischer Gerechtigkeit das
Leben des irdischen Menschen führen mußte. Seine
Geschichte nennt man das Alte Testament, das nach einem
anscheinend irdischen Reiche ausschaut, das aber, aufs
Ganze gesehen, nichts anderes ist als das Abbild eines neuen
Volkes und Neuen Testamentes, das nach dem Himmelreich
ausschaut. *138.* Das einstweilen zeitliche Leben dieses Vol-

vita interim temporalis incipit a domini adventu in humilitate usque ad diem iudicii, quando in claritate venturus est. Post quod iudicium vetere homine extincto erit illa mutatio quae angelicam vitam pollicetur: »Omnes« enim »resurgemus, sed non omnes immutabimur.« *139.* Resurget ergo pius populus, ut veteris hominis sui reliquias transformet in novum, resurget autem impius populus, qui ab initio ad finem veterem hominem gessit, ut in secundam mortem praecipitetur. Aetatum autem articulos qui diligenter legunt inveniunt, nec zizania nec paleas perhorrescunt. Impius namque pio vivit et peccator iusto, ut eorum conparatione alacrius donec perficiantur adsurgant.

[XXVIII.51] *140.* Quisquis autem populi terreni temporibus usque ad inluminationem interioris hominis meruit pervenire, genus humanum pro tempore adiuvit, exhibens ei quod aetas illa poscebat, et per prophetiam intimans id quod exhibere opportunum non erat. Quales patriarchae ac prophetae inveniuntur ab eis qui non pueriliter insiliunt, sed pie diligenterque pertractant divinarum et humanarum rerum tam bonum et tam grande secretum. *141.* Quod etiam temporibus novi populi a magnis et spiritalibus viris ecclesiae catholicae alumnis video cautissime provideri, ne quid populariter agant, quod nondum esse temporis ut cum populo agatur intellegunt: alimenta lactea large avidis pluribus

kes beginnt mit der Ankunft des Herrn in Niedrigkeit und
währt bis zum Tage des Gerichts, da er kommen wird in
Herrlichkeit. Nach dem Gericht wird der alte Mensch ver-
tilgt und findet jene Umwandlung statt, die ein engelhaftes
Leben in Aussicht stellt. Denn »wir werden alle auferstehen,
aber nicht alle werden verwandelt werden«.[86] *139.* Auferstehen also wird das fromme Volk, um die Überreste des alten
Menschen in den neuen zu verwandeln. Auferstehen aber
wird auch das gottlose Volk, das von Anfang bis Ende den
alten Menschen an sich trug, um in den zweiten Tod hinab-
gestürzt zu werden. Die Schnittpunkte der Zeitalter findet
man bei aufmerksamem Schriftstudium und braucht sich
durch Unkraut und Spreu nicht irre machen zu lassen. Denn
der Gottlose ist für den Frommen da und der Sünder für den
Gerechten, damit dieser sich mit jenem vergleiche und um so
eifriger zur Vollendung aufstrebe.[87]

[XXVIII.51]   *Die geistlichen Volkserzieher*
im Alten und Neuen Bunde

140. Einige gab es zu Zeiten des irdischen Volkes, die zur
Erleuchtung des inneren Menschen gelangten. Sie waren der
Zeitlage entsprechend eine Hilfe für das Menschengeschlecht; denn sie reichten ihm, was damals erforderlich
war, und kündigten weissagend an, was einstweilen noch
nicht dargereicht werden durfte. Als solche stehen die
Patriarchen und Propheten denen vor Augen, die das köstli-
che und große Geheimnis göttlichen und menschlichen
Geschehens nicht kindisch angreifen, sondern fromm und
andächtig betrachten. *141.* Und wie ich sehe, hüten sich
auch im Zeitalter des neuen Volkes die großen, geistlichen
Männer der katholischen Kirche sehr vorsichtig davor, ihren
Zöglingen öffentlich vorzutragen, was einstweilen nicht vor
die Öffentlichkeit gehört. Milchspeisen flößen sie reichlich
und immerfort der Mehrheit ein, die aus Lernwilligen, aber

atque instanter infundunt, validioribus autem cibis cum
sapientibus paucis vescuntur. Sapientiam enim locuntur
inter perfectos, carnalibus vero et animalibus et quamvis
novis hominibus, adhuc tamen parvulis nonnulla obtegunt,
sed nulla mentiuntur. Non enim vanis honoribus suis consulunt et inanibus laudibus, sed utilitati eorum cum quibus
societatem vitae huius inire meruerunt. *142.* Haec enim lex
est divinae providentiae, ut nemo a superioribus adiuvetur
ad cognoscendam et percipiendam gratiam dei, qui non ad
eandem puro affectu inferiores adiuverit. Ita de peccato
nostro, quod in homine peccatore ipsa natura nostra commi-
sit, et genus humanum factum est magnum decus ornamen-
tumque terrarum et tam decenter divinae providentiae pro-
curatione administratur, ut ars ineffabilis medicinae ipsam
vitiorum foeditatem in nescio quam sui generis pulchritudinem vertat.

[XXIX.52] *143.* Et quoniam de auctoritatis beneficientia
quantum in praesentia satis visum est locuti sumus, videamus quatenus ratio possit progredi, a visibilibus ad invisibilia et a temporalibus ad aeterna conscendens. Non enim
frustra et inaniter intueri oportet pulchritudinem caeli, ordinem siderum, candorem lucis, dierum et noctium vicissitu-
dines, lunae menstrua curricula, anni quadrifariam tempera-
tionem quadripertitis elementis congruentem, tantam vim
seminum species numerosque gignentium et omnia in suo
genere modum proprium naturamque servantia. *144.* In

noch Schwachen besteht; die kräftigere Kost aber teilen sie mit denjenigen, die schon weise sind;[88] denn Weisheit reden sie unter den Vollkommenen; den fleischlichen und sinnlichen, wennschon erneuerten, aber noch kindlichen Menschen verhüllen sie dagegen manches, ohne jemals zu lügen.[89] Es ist ihnen ja nicht um eigene eitle Ehre und nichtige Lobeserhebungen zu tun, sondern um das Wohl derer, mit denen sie derzeitig in Gemeinschaft zu leben berufen sind. *142.* Denn so hat es die göttliche Vorsehung angeordnet, daß niemandem durch Höherstehende zum Verständnis und zur Erlangung der Gnade Gottes verholfen werden soll, der nicht lauteren Gemütes und willig ist, Niedrigerstehenden zu ebenderselben zu verhelfen. Ebenso ist infolge der Sünde, die unsere Natur im sündigen Menschen begangen hat, das Menschengeschlecht zur großen Zier und zum Schmucke des Erdreichs geworden,[90] und so geschickt wird es durch das Walten der göttlichen Vorsehung geleitet, daß die unbegreifliche göttliche Heilkunst selbst scheußliche Laster in eine Art Schönheit umwandelt.

[XXIX.52]   *Über die Vernunft und ihre der
Wahrnehmung überlegene Urteilskraft*

143. Nunmehr haben wir über die Wohltätigkeit der Autorität so viel, wie es einstweilen genügen dürfte, vorgebracht und wollen jetzt sehen, wieweit die Vernunft beim Aufstieg vom Sichtbaren zum Unsichtbaren und vom Zeitlichen zum Ewigen vordringen kann. Denn nicht umsonst und fruchtlos soll es sein, wenn wir die Schönheit des Himmels anschauen sowie den geordneten Gang der Gestirne, den Glanz des Lichtes, den Wechsel von Tag und Nacht, den monatlichen Lauf des Mondes, die Vierteilung des Jahres, die den vierfachen Elementen entspricht, die große Macht des Samens, der Gestalten und Zahlen hervortreibt, und überhaupt alles, das auf seine Art eigenes Maß und Wesen bewahrt. *144.* Bei der

quorum consideratione non vana et peritura curiositas exercenda est, sed gradus ad immortalia et semper manentia
faciendus. Proximum est enim adtendere quae ista sit natura
vitalis, quae cuncta ista sentit. Quae profecto quoniam vitam
dat corpori, praestantior eo sit necesse est. Non enim qualiscumque moles, quamquam ista visibili luce praefulgeat, si
vita caret, magni aestimanda est. Quaelibet namque viva
substantia cuilibet non vivae substantiae naturae lege praeponitur. [53] *145.* Sed quia inrationalia quoque animantia
vivere atque sentire nemo ambigit, illud in animo humano
praestantissimum est, non quo sentit sensibilia, sed quo
iudicat de sensibilibus. Nam et vident acutius et ceteris
corporis sensibus acrioribus corpora attingunt pleraeque
bestiae quam homines. Sed iudicare de corporibus non
sentientis tantum vitae sed etiam ratiocinantis est, qua illae
carent, nos excellimus. Iam vero illud videre facillimum est,
praestantiorem esse iudicantem quam illa res est de qua
iudicatur. *146.* Non solum autem rationalis vita de sensibilibus, sed de ipsis quoque sensibus iudicat: cur in aqua remum
infractum oporteat apparere cum rectus sit, et cur ita per
oculos sentiri necesse sit. Nam ipse aspectus oculorum
renuntiare id potest, iudicare autem nullo modo. Quare
manifestum est, ut sensualem vitam corpori, ita rationalem
utrique praestare.

Betrachtung dieser Dinge darf aber nicht eitle oder flüchtige Neugierde vorherrschen, sondern sie muß stufenweis zum Unsterblichen und immer Gleichbleibenden hinaufführen. Denn als erstes gilt es, darauf achtzugeben, was es für eine lebendige Kraft ist, die all das wahrnimmt. Da sie es ist, die dem Leibe das Leben gibt, muß sie unweigerlich vornehmer sein als er. Denn körperliche Massen, sie mögen beschaffen sein, wie sie wollen, sie mögen noch so sehr in sichtbarem Lichte vorleuchten, sind doch, wenn ihnen das Leben fehlt, nicht viel wert. Vielmehr ist jedes lebende Wesen jedem beliebigen Leblosen der Naturordnung gemäß vorzuziehen. [53] *145.* Doch da unzweifelhaft auch unvernünftige Geschöpfe leben und empfinden, ist beim beseelten Menschen am vorzüglichsten nicht das sinnliche Wahrnehmungsvermögen, sondern sein Vermögen, über das Sinnenfällige zu urteilen. Denn sehr viele Tiere sehen besser und nehmen auch mit den übrigen leiblichen Sinnen die Gegenstände schärfer wahr als die Menschen. Aber über Gegenstände zu urteilen, ist nicht Sache eines nur empfindenden, sondern eines auch vernünftigen Lebewesens. Diese uns auszeichnende Vernunft fehlt den Tieren. Nun ist es ganz leicht, einzusehen, daß ein Urteilender höher steht als der Gegenstand, über welchen geurteilt wird. *146.* Aber man muß sich klarmachen, daß die Vernunft nicht nur über sinnenfällige Objekte, sondern auch über die Sinne selber urteilt. Denn sie begreift, wie es zugeht, daß das Ruder im Wasser gebrochen zu sein scheint, obwohl es gerade ist, und warum es die Augen so wahrnehmen müssen. Der Blick der Augen kann ja nur wiedergeben, was er sieht, aber keineswegs urteilen. So ist es offenkundig, daß das empfindende Leben dem bloßen Körper, das vernünftige Leben aber beiden überlegen ist.

[XXX.54] *147.* Itaque si rationalis vita secundum se ipsam iudicat, nulla iam est natura praestantior. Sed quia clarum est eam esse mutabilem, quando nunc imperita nunc perita invenitur, tanto autem melius iudicat quanto est peritior, et tanto est peritior quanto alicuius artis vel disciplinae vel sapientiae particeps est, ipsius artis natura quaerenda est. Neque nunc artem intellegi volo quae notatur experiundo, sed quae ratiocinando indagatur. *148.* Quid enim praeclarum novit qui novit ea impensa quae calce et harena confit tenacius lapides cohaerere quam luto? aut qui tam eleganter aedificat, ut quae plura sunt paria paribus respondeant, quae autem singula medium locum teneant? Quamquam iste sensus iam sit rationi veritatique vicinior. *149.* Sed certe quaerendum est cur nos offendat, si duabus fenestris non super invicem sed iuxta invicem locatis una earum maior minorve sit, cum aequales esse potuerint; si vero super invicem fuerint ambaeque de medio quamvis impares, non ita offendat illa inaequalitas; et cur non multum curemus quanto sit una earum aut maior aut minor, quia duae sunt. In tribus autem sensus ipse videtur expetere ut aut inpares non sint aut inter maximam et minimam ita sit media ut tanto praecedat minorem quanto a maiore praeceditur. Ita enim primo quasi natura ipsa consulitur quid probet. *150.* Ubi potissimum

[XXX.54]   *Über der vernünftigen aber irrenden*
Seele steht das unwandelbare Gesetz der Gleichheit, Einheit
und Wahrheit[91]

147. Wenn das vernünftige Leben seinem vernünftigen
Wesen gemäß urteilt, gibt es nichts, was vorzüglicher wäre
als es. Doch liegt es zutage, daß es wandelbar ist, denn es
erweist sich bald als einsichtig, bald als uneinsichtig. Es
urteilt aber um so besser, je einsichtiger es ist, und es ist um
so einsichtiger, je mehr es an irgendeiner Kunst, Wissenschaft oder Weisheit Anteil hat. So muß denn nach dem
Wesen der Kunst geforscht werden. Ich will jetzt aber nicht
die Kunst ins Auge fassen, die man sich durch Erfahrung
erwirbt, sondern um die man sich durch vernünftiges Denken bemüht. *148.* Denn was weiß schon Bemerkenswertes,
wer in Erfahrung gebracht hat, daß die Masse, die aus einer
Mischung aus Kalk und Sand besteht, die Steine fester zu-
sammenhält als bloßer Lehm? Oder wer so geschmackvoll
baut, daß, wenn es sich um mehrere Bauteile handelt, sie
einander gleichen und gegenüberliegen müssen, während ein
einzelner die Mitte einzunehmen hat? Immerhin kommt
dies Stilgefühl der Vernunft und Wahrheit schon näher.
149. Aber nun muß man fragen, warum es uns beleidigt,
wenn von zwei Fenstern, die nicht über-, sondern nebenein-
ander angebracht sind, das eine größer oder kleiner als das
andere ist, obwohl sie gleich sein könnten, während uns die
Ungleichheit nicht ebenso beleidigt, wenn sie übereinander
liegen und das eine etwa nur halb so groß ist wie das andere.
Warum kümmern wir uns nicht viel darum, um wieviel in
diesem Falle das eine größer oder kleiner ist, wenn es zwei
sind? Bei dreien aber fordert, wie es scheint, der
Geschmack, daß sie entweder nicht ungleich sein dürfen,
oder daß das mittlere um soviel kleiner als das größte sein
muß, wie es selbst größer als das kleinste ist. Also wird
zunächst gewissermaßen die Natur befragt, was sie dazu
sagt, *150.* und es ergibt sich vor allem, daß, was nicht eben

notandum est quem ad modum quod solum inspectum minus displicuerit, in melioris comparatione respuatur. Ita reperitur nihil esse aliud artem vulgarem nisi rerum expertarum placitarumque memoriam, usu quodam corporis atque operationis adiuncto. Quo si careas, iudicare de operibus possis, quod multo est excellentius, quamvis operari artificiosa non possis. [55] *151.* Sed cum in omnibus artibus convenientia placeat, qua una salva et pulchra sunt omnia, ipsa vero convenientia aequalitatem unitatemque appetat vel similitudine parium partium vel gradatione disparium, quis est qui summam aequalitatem vel similitudinem in corporibus inveniat audeatque dicere, cum diligenter consideravit, quodlibet corpus vere ac simpliciter unum esse, cum omnia vel de specie in speciem vel de loco in locum transeundo mutentur et partibus constent sua loca obtinentibus, per quae in spatia diversa dividuntur? *152.* Porro ipsa vera aequalitas ac similitudo atque ipsa vera et prima unitas non oculis carneis neque ullo tali sensu, sed mente intellecta conspicitur. Unde enim qualiscumque in corporibus appeteretur aequalitas aut unde convinceretur longe plurimum differre a perfecta, nisi ea quae perfecta est mente videretur? si tamen quae facta non est perfecta dicenda est. [56] *153.* Et cum omnia quae sensibiliter pulchra sunt, sive natura edita sive artibus elaborata locis et temporibus pulchra sint, ut corpus et corporis motus, illa aequalitas et unitas menti tantummodo cognita, secundum quam de corporea pulchritudine sensu internuntio iudicatur, nec loco tumida est nec instabilis tempore. Non enim recte dici potest secundum

mißfällt, wenn man es allein betrachtet, abgelehnt wird, wenn man es mit Besserem vergleicht. So erweist es sich, daß die gewöhnliche Kunst nichts anderes ist als die Erinnerung an gesehene Gegenstände, die einem gefallen haben, verbunden mit einer gewissen körperlichen Übung und Handfertigkeit. Wenn dir die aber fehlt und du dennoch über die Werke urteilen kannst, so ist das bei weitem vortrefflicher, auch wenn du selbst keine Kunstwerke hervorbringen kannst. [55] *151.* Nun ist es in allen Künsten die Symmetrie, die gefällt, und nur durch sie ist alles wohlbefindlich und schön. Die Symmetrie ihrerseits aber strebt nach Gleichheit und Einheit, sei es durch Ähnlichkeit gleicher Teile, sei es durch Abstufung der ungleichen. Aber wen gibt es, der die höchste Gleichheit und Ähnlichkeit in der Körperwelt zu finden dächte und bei sorgfältiger Betrachtung zu sagen wagte, daß irgendein Körper wahrhaft und einfach eins sei? Denn alles wandelt sich und geht bald von einer Gestalt zur anderen, bald von einem Ort zum anderen über und besteht aus Teilen, die ihren Platz einnehmen, wodurch sie sich räumlich voneinander sondern. *152.* Folglich kann die wahre Gleichheit und Ähnlichkeit, vollends die wahre und ursprüngliche Einheit, nicht mit fleischlichen Augen noch mit irgendeinem anderen Sinne, sondern allein mit dem Geist erkannt und geschaut werden. Denn wie könnte man irgendwelche Gleichheit bei Körpern anstreben oder wie davon überzeugt sein, daß sie weit hinter der vollendeten Gleichheit zurückbleibt, wenn nicht diese im Geiste erblickt würde – falls man das Ungeschaffene überhaupt vollendet nennen darf? [56] *153.* Während nun alles sinnlich Schöne im Bereich der Natur und Kunst, seien es Körper, sei es körperliche Bewegung, räumlich und zeitlich schön ist, gilt von jener Gleichheit und Einheit, die nur geistig erkannt und nach welcher unter Vermittlung der Sinne über die körperliche Schönheit geurteilt wird, daß sie weder räumlich aufgebläht noch zeitlich unbeständig ist. Denn man kann doch nicht sagen, daß man nach ihr wohl die Rundung eines

eam iudicari rotundum canthum et non secundum eam rotundum vasculum, aut secundum eam rotundum vasculum
et non secundum eam rotundum denarium. *154.* Similiter in
temporibus atque in motibus corporum ridicule dicitur
secundum eam iudicari aequales annos et non secundum eam
aequales menses, aut secundum eam aequales menses et non
secundum eam aequales dies. Sed sive per haec spatia sive per
horas sive per breviora momenta convenienter moveatur
aliquid, eadem una et incommutabili aequalitate iudicatur.
155. Quod si minora et maiora spatia figurarum atque
motionum secundum eandem legem parilitatis vel similitudi-
nis vel congruentiae iudicantur, ipsa lex maior est his omnibus, sed potentia, ceterum spatio aut loci aut temporis nec
maior nec minor, quia si maior esset, non secundum totam
iudicaremus minora; si autem minor esset, non secundum
eam iudicaremus maiora. *156.* Nunc vero cum secundum
totam quadraturae legem iudicetur et forum quadratum et
lapis quadratus et tabella et gemma quadrata, rursus secundum totam aequalitatis legem iudicentur convenire sibi
motus pedum currentis formicae et secundum eam gradientis
elephanti, quis eam dubitet locorum intervallis ac temporum
nec maiorem esse nec minorem, cum potentia superet omnia?
157. Haec autem lex omnium artium cum sit omnino incommutabilis, mens vero humana cui talem legem videre concessum est, mutabilitatem pati possit erroris, satis apparet supra
mentem nostram esse legem quae veritas dicitur.

Rades, aber nicht die eines Gefäßes, oder zwar nach ihr die Rundung eines Gefäßes, aber nicht die einer Münze beurteilen könne. *154.* Ebenso müßte es lächerlich heißen, wollte man, wenn es sich um Zeiten und körperliche Bewegungen handelt, nach ihr zwar gleiche Jahre, aber nicht auch gleiche Monate, oder wohl gleiche Monate, aber nicht auch gleiche Tage beurteilen. Vielmehr, mag sich etwas in diesen Zeiträumen oder auch in Stunden oder noch kürzeren Fristen bewegen, es wird doch von einer und derselben unwandelbaren Gleichheit beurteilt. *155.* Wenn man also kleinere oder größere Abmessungen von Figuren und Bewegungen nach demselben Gesetz der Gleichheit oder Ähnlichkeit oder Übereinstimmung beurteilt, so ist das Gesetz selber größer als all das, nämlich größer an Macht. Denn was räumliche oder zeitliche Größe anlangt, ist es weder größer noch kleiner. Denn wäre es größer, könnte man es nicht als Maßstab zur Beurteilung des Kleineren gebrauchen, wäre es aber kleiner, könnte man nach ihm Größeres nicht beurteilen. *156.* Da nun aber nach demselben und ganzen Gesetz der Quadratur das quadratische Forum so gut wie der quadratische Stein oder die quadratische Tafel oder Gemme beurteilt wird, da ferner nach dem ganzen Gesetz der Gleichheit die Fußbewegungen der laufenden Ameise und des schreitenden Elefanten als gleichmäßig beurteilt werden, wer kann dann daran zweifeln, daß es an räumlicher und zeitlicher Abmessung weder größer noch kleiner ist und doch alles an Macht übertrifft? *157.* Weil nun dies Gesetz aller Künste ganz und gar unwandelbar ist, während der menschliche Geist, dem es vergönnt ist, solches Gesetz zu schauen, die Wandelbarkeit des Irrens erleiden kann, erhellt klar genug, daß das Gesetz, das die Wahrheit heißt,[92] über unsern Geist erhaben ist.

[XXXI.57] *158.* Nec iam illud ambigendum est, incommutabilem naturam, quae supra rationalem animam sit, deum esse; et ibi esse primam vitam et primam essentiam ubi est prima sapientia. Nam haec est illa incommutabilis veritas, quae lex omnium artium recte dicitur, et ars omnipotentis artificis. Itaque cum se anima sentiat nec corporum speciem motumque iudicare secundum se ipsam, simul oportet agnoscat praestare suam naturam ei naturae de qua iudicat, praestare autem sibi eam naturam secundum quam iudicat et de qua iudicare nullo modo potest. *159.* Possum enim dicere quare similia sibi ex utraque parte respondere membra cuiusque corporis debeant: quia summa aequalitate delector, quam non oculis, sed mente contueor. Quapropter tanto meliora esse iudico quae oculis cerno quanto pro sua natura viciniora sunt his quae animo intellego. Quare autem illa ita sint nullus potest dicere; nec ita esse debere quisquam sobrie dixerit, quasi possint esse non ita. [58] *160.* Quare autem nobis placeant et cur ea, quando melius sapimus, vehementissime diligamus, ne id quidem quisquam, si ea rite intellegit, dicere audebit. Ut enim nos et omnes animae rationales secundum veritatem de inferioribus recte iudicamus, sic de nobis quando eidem cohaeremus sola ipsa veritas iudicat; de ipsa vero nec pater, non enim minus est quam ipse, et ideo quae pater iudicat per ipsam iudicat. *161.* Omnia enim quae appetunt unitatem hanc habent regulam vel formam vel exemplum vel si quo alio verbo dici sinit, quoniam sola eius

[XXXI.57] *Diese Wahrheit, nach welcher, nicht über welche der Mensch urteilt, ist göttlich, Gott selbst, Gott-Sohn*

158. Nun besteht kein Zweifel daran, daß das unwandelbare, die vernünftige Seele überragende Wesen Gott ist, und daß ebenda höchstes Leben und höchstes Sein zu finden sein muß, wo die höchste Weisheit ist. Denn das ist jene unwandelbare Wahrheit, die mit Recht das Gesetz aller Künste und Kunst des allmächtigen Künstlers genannt wird. Wenn also die Seele fühlt, daß sie Gestalt und Bewegung der Körper wohl beurteilen kann, aber nicht nach sich selber, muß sie zugleich zugeben, daß zwar ihr Wesen dem Wesen, das sie beurteilt, überlegen ist, daß jedoch jenes Wesen, nach welchem sie urteilt und über welches sie schlechterdings nicht urteilen kann, ihr selber überlegen ist. 159. Denn ich kann wohl sagen, warum die einander ähnlichen Gliedmaßen jedes Körpers sich beiderseits entsprechen müssen, weil mir die höchste Gleichheit gefällt, die ich nicht mit leiblichen, sondern geistigen Augen schaue, und daß ich deswegen alles mit leiblichen Augen Erblickte für um so edler halte, je mehr es sich seiner Natur nach dem nähert, was ich geistig erkenne. Aber warum auch dieses so ist, wie es ist, kann niemand sagen, und niemand sollte so unklug sein, zu behaupten, es müsse so sein, als wenn es auch anders sein könnte.[93] [58] 160. Weshalb es uns aber gefällt und warum wir es, je verständiger wir sind, um so inbrünstiger lieben, nicht einmal das wird einer zu sagen wagen, wenn er es recht erkennt. Denn wie wir und alle vernünftigen Seelen nach Maßgabe der Wahrheit über die niederen Dinge richtig urteilen, so urteilt über uns, wenn wir ihr anhangen, allein die Wahrheit selbst. Über sie aber urteilt nicht einmal der Vater, denn sie ist nicht geringer als er selbst, vielmehr, was der Vater beurteilt, beurteilt er durch sie. 161. Denn alles, was nach Einheit strebt, hat die Wahrheit zur Regel oder zur Form oder zum Vorbild, oder wie man es sonst wahrheitsgemäß ausdrücken mag. Denn sie allein besitzt die vollkom-

similitudinem a quo esse accepit implevit – si tamen ›accepit‹
non incongrue dicitur pro ea significatione qua ›filius‹ appellatur, quia non de se ipso est, sed de primo summoque
principio qui ›pater‹ dicitur, »ex quo omnis paternitas in
caelo et in terra nominatur.« »Pater« ergo »non iudicat
quemquam, sed omne iudicium dedit filio.« Et »spiritalis
homo iudicat omnia, ipse autem a nemine iudicatur«, id est
nullo homine, sed a sola ipsa lege secundum quam iudicat
omnia. *162.* Quoniam et illud verissime dictum est: »Oportet nos omnes exhiberi ante tribunal Christi.« Omnia ergo
iudicat, quia super omnia est quando cum deo est. Cum illo
est autem quando purissime intellegit et tota caritate quod
intellegit diligit. Ita etiam, quantum potest, lex ipsa etiam
ipse fit, secundum quam iudicat omnia et de qua iudicare
nullus potest, sicut in istis temporalibus legibus, quamquam
de his homines iudicent cum eas instituunt, tamen cum
fuerint institutae atque firmatae, non licebit iudici de ipsis
iudicare, sed secundum ipsas. *163.* Conditor tamen legum
temporalium, si vir bonus est et sapiens, illam ipsam consulit
aeternam de qua nulli animae iudicare datum est, ut
secundum eius incommutabiles regulas quid sit pro tempore
iubendum vetandumque discernat. Aeternam igitur legem
mundis animis fas est cognoscere, iudicare non fas est.
164. Hoc autem interest, quod ad cognoscendum satis est ut
videamus ita esse aliquid vel non ita, ad iudicandum vero
addimus aliquid quo significemus posse esse et aliter, velut
cum dicimus ›ita esse debet‹ aut ›ita esse debuit‹ aut ›ita esse
debebit‹, ut in suis operibus artifices faciunt.

mene Gleichheit mit dem, von dem sie ihr Sein empfing –
falls man ›empfing‹ sagen darf, um zum Ausdruck zu bringen,
was das Wort ›Sohn‹ besagt, der ja nicht von sich selber
ist, sondern von dem ersten und höchsten Ursprung, welcher
der ›Vater‹ heißt. Denn »alles was väterlich ist im
Himmel und auf Erden, wird nach ihm benannt«.[94] »Der
Vater aber richtet niemand, sondern alles Gericht hat er dem
Sohn gegeben.«[95] Auch »der geistliche Mensch richtet alles,
er selbst aber wird von niemand gerichtet«,[96] das ist, von
keinem Menschen, sondern allein von dem Gesetze, nach
welchem er alles richtet. *162.* Denn mit vollster Wahrheit ist
auch das gesagt: »Wir müssen alle erscheinen vor dem
Richterstuhl Christi.«[97] Der geistliche Mensch richtet demnach
alles, weil er über allem ist, wenn er mit Gott ist. Mit
ihm aber ist er, wenn er ganz rein erkennt und von ganzem
Herzen das Erkannte liebt. Denn dann wird er, soweit das
möglich ist, selbst zum Gesetz, nach welchem er über alles
urteilt und über welches niemand urteilen kann. So ist es ja
auch mit den zeitlichen Gesetzen. Denn obwohl die Menschen,
wenn sie sie aufstellen, über sie urteilen, darf der
Richter doch, wenn sie einmal aufgestellt und gültig geworden
sind, nicht mehr über sie, sondern nur nach ihnen
urteilen. *163.* Jedoch befragt der Verfasser zeitlicher
Gesetze, wenn er ein guter und weiser Mann ist, jenes ewige
Gesetz, über welches keine Menschenseele urteilen darf, um
sodann nach dessen unwandelbaren Regeln zu bestimmen,
was für die zeitlichen Verhältnisse zu gebieten und zu
verbieten ist.[98] Das ewige Gesetz zu erkennen, steht demnach
den reinen Gemütern zu, nicht, es zu beurteilen.
164. Der Unterschied aber ist der: Wollen wir etwas erkennen,
genügt es, daß wir sehen, es sei so oder nicht so; wollen
wir es aber auch beurteilen, geben wir außerdem zu verstehen,
es könne auch anders sein, wie wenn wir sagen: ›Es
muß so sein‹, oder ›mußte so sein‹, oder ›wird so sein
müssen‹. So machen es die Künstler bei ihren Werken.

[XXXII.59] *165*. Sed multis finis est humana delectatio nec
volunt tendere ad superiora, ut iudicent cur ista visibilia
placeant. Itaque si quaeram ab artifice, uno arcu constructo
cur alterum parem contra in altera parte moliatur, responde-
bit, credo, ut paria paribus aedificii membra respondeant.
Porro si pergam quaerere id ipsum cur eligat, dicet hoc
decere, hoc esse pulchrum, hoc delectare cernentes; nihil
audebit amplius. Inclinatus enim recumbit oculis et unde
pendeat non intellegit. *166*. At ego virum intrinsecus ocula-
tum et invisibiliter videntem non desinam commonere cur
ista placeant, ut iudex esse audeat ipsius delectationis humanae. Ita enim superfertur illi nec ab ea tenetur, dum non
secundum ipsam sed ipsam iudicat. Et prius quaeram utrum
ideo pulchra sint quia delectant, an ideo delectent quia
pulchra sunt. *167*. Hic mihi sine dubitatione respondebitur
ideo delectare quia pulchra sunt. Quaeram ergo deinceps
quare sint pulchra. Et si titubabitur, subiciam utrum ideo
quia similes sibi partes sunt et aliqua copulatione ad unam
convenientiam rediguntur. [60] *168*. Quod cum ita esse
compererit, interrogabo utrum hanc ipsam unitatem, quam
convincuntur appetere, summe impleant an longe infra iaceant et eam quodammodo mentiantur. Quod si ita est – nam
quis non admonitus videat neque ullam speciem neque ullum

[XXXII.59]   *Alle Körper weisen Spuren der Einheit auf,*
erreichen sie aber nicht

165. Aber viele Menschen kennen als Ziel nur das Vergnügen
und wollen nicht nach Höherem trachten, um ein Urteil
darüber zu gewinnen, warum das Sichtbare uns gefällt.
Wenn ich also einen Baumeister, der einen Rundbogen
errichtet hat, frage, warum er auf der gegenüberliegenden
Seite einen ebensolchen erstellen will, wird er vermutlich
antworten: Damit sich gleiche Glieder des Gebäudes entsprechen. Wenn ich aber weiter in ihn dringe, warum er
gerade das beabsichtige, sagt er, so sei es schicklich, so sei es
schön und erfreue die Beschauer. Aber mehr zu sagen,
kommt ihm nicht in den Sinn. Denn er ist lediglich Augen-
mensch und begreift nicht, wovon das Schönheitsurteil
abhängig ist. *166.* Ich aber werde nicht ablassen, einen
Mann, der auch inwendige Augen hat und Unsichtbares
sehen kann, mit der Frage zu bedrängen, warum das gefällt,
bis er es wagt, ein Urteil über den Grund des ästhetischen
Wohlgefallens abzugeben. So erhebt er sich darüber und
wird nicht von ihm festgehalten. Denn nun urteilt er nicht
nach seinem Geschmack, sondern beurteilt ihn selbst.
Zuerst werde ich ihn also fragen, ob Gegenstände darum
schön sind, weil sie uns erfreuen, oder ob sie uns erfreuen,
weil sie schön sind. *167.* Darauf wird er mir ohne Zweifel
antworten: Sie erfreuen, weil sie schön sind. So fahre ich fort
und frage, warum sie schön sind. Wenn er dann mit der
Antwort zögert, werde ich ihn darauf aufmerksam machen,
ob nicht dies der Grund ist, daß die Teile einander ähneln
und durch eine Art Einheitsband zur Symmetrie gebracht
werden. [60] *168.* Hat er dies eingesehen, werde ich ihn
weiter fragen, ob Gegenstände die Einheit, die sie zugestan-
denermaßen anstreben, auch ganz erreichen, oder ob sie
nicht weit dahinter zurückbleiben und sie gewissermaßen
nur vorlügen. In der Tat, so ist es. Denn wer sieht nicht,
wenn man ihn aufmerksam macht, daß es zwar keine

omnino esse corpus quod non habeat unitatis qualecumque
vestigium, neque quantumvis pulcherrimum corpus, cum
intervallis locorum necessario aliud alibi habeat, posse asse-
qui eam quam sequitur unitatem? – quare si hoc ita est,
flagitabo ut respondeat ubi videat ipse unitatem hanc aut
unde videat. *169.* Quam si non videret, unde cognosceret, et
quid imitaretur corporum species et quid implere non posset? Nunc vero cum dicit corporibus: ›Vos quidem nisi
aliqua unitas contineret, nihil essetis, sed rursus si vos essetis
ipsa unitas, corpora non essetis‹, recte illi dicitur: ›Unde
istam nosti unitatem secundum quam iudicas corpora, quam
nisi videres, iudicare non posses quod eam non impleant? Si
autem his corporeis oculis eam videres, non vere diceres
quamquam eius vestigio teneantur longe tamen ab ea distare.
Nam istis oculis non nisi corporalia vides; mente igitur eam
videmus. *170.* Sed ubi videmus? Si hoc loco esset ubi corpus
nostrum est, non eam videret qui hoc modo in oriente de
corporibus iudicat. Non ergo ista continetur loco, et cum
adest ubicumque iudicanti, nusquam est per spatia locorum
et per potentiam nusquam non est.

[XXXIII.61] *171.* Quod si eam corpora mentiuntur, non est
credendum mentientibus, ne incidamus in vanitates vanitantium; sed quaerendum potius – cum ideo mentiantur quia
eam videntur ostendere oculis carneis, cum illa mente pura

Gestalt, überhaupt keinen Körper gibt, der nicht irgendeine Spur der Einheit an sich trägt, daß aber nicht einmal der denkbar schönste Körper die erstrebte Einheit wirklich erreicht, schon darum nicht, weil er mit seinen Teilen unweigerlich räumlich ausgedehnt ist? Gibt er das zu, werde ich ihn ferner nötigen, die Frage zu beantworten, wo er denn diese Einheit sieht und wie das zugeht. *169.* Denn sähe er sie nicht, wie könnte er dann erkennen, was die Gestalt der Körper nachzubilden sucht und doch nie erreicht? Aber nun sagt er zu den Körpern: ›Wenn euch nicht eine Einheit zusammenhielte, wäret ihr nichts, und wiederum: Wäret ihr selbst diese Einheit, so wäret ihr keine Körper mehr.‹ Nun, so sagt man zu ihm mit Recht: ›Woher kennst du jene Einheit, nach welcher du die Körper beurteilst? Wenn du sie nicht sähest, könntest du nicht urteilen, daß die Körper sie nicht erreichen. Sähest du sie aber mit leiblichen Augen, so hättest du kein Recht, zu behaupten, daß die Körper zwar Spuren von ihr aufweisen, aber gleichwohl ihr weit nachstehen. Mit körperlichen Augen siehst du ja nur Körper. Also erblicken wir sie mit dem Geiste.‹ *170.* Aber nun sag mir: Wo? Wenn sie an demselben Orte wäre, wo unser Leib sich befindet, würde einer sie nicht sehen, wenn er etwa im Orient über Körper urteilte. Also kann kein Raum sie einschließen, und wenn sie dem Urteilenden, wo er auch sein mag, gegenwärtig ist, so ist sie nirgendwo räumlich ausgedehnt, aber machtvoll überall.

[XXXIII.61]   *Sinnliche Wahrnehmung und*
                    geistiges Schauen

171. Wenn Körper sie vorlügen, darf man den Lügnern nicht glauben, um nicht der Eitelkeit der Eitlen zu verfallen.[99] Da sie uns nun dadurch belügen, daß sie die Einheit anscheinend dem fleischlichen Auge zeigen, obwohl sie doch nur mit reinem Geiste geschaut werden kann, muß man fragen,

videatur –, utrum in tantum mentiantur in quantum ei
similia sunt, an in quantum eam non adsequuntur. *172*. Nam
si adsequerentur, quod imitantur implerent, si autem implerent, omnimodo essent similia, si omnimodo essent similia,
nihil inter illam naturam et istam interesset; quod si ita esset,
non eam mentirentur; id enim essent quod illa est. Nec
mentiuntur tamen diligentius considerantibus, quia ille mentitur qui vult videri quod non est; quod autem non volens
aliud putatur quam est, non mentitur, sed fallit tamen.
173. Nam ita discernitur mentiens a fallente, quod inest
omni mentienti voluntas fallendi, etiam si non ei creda-
tur; fallens autem esse non potest qui non fallit. Ergo corporea species, quia nullam voluntatem habet, non mentitur.
Si vero etiam non putetur esse quod non est, nec fallit.
[62] *174*. Sed ne ipsi quidem oculi fallunt. Non enim renuntiare
animo possunt nisi affectionem suam. Quod si non solum
ipsi, sed omnes corporis sensus ita nuntiant ut afficiuntur,
quid ab eis amplius exigere debeamus ignoro. Tolle itaque
vanitantes, et nulla erit vanitas. Si quis remum in aqua frangi
opinatur et cum inde aufertur integrari, non malum habet
internuntium, sed malus est iudex. *175*. Nam ille pro sua
natura non potuit aliter in aqua sentire nec aliter debuit. Si
enim aliud est aer aliud aqua, iustum est ut aliter in aere aliter
in aqua sentiatur. Quare oculus recte, ad hoc enim factus est
ut tantum valeat; sed animus perverse, cui ad contemplan-
dam summam pulchritudinem mens, non oculus factus est.
Ille autem vult mentem convertere ad corpora, oculos ad
deum. Quaerit enim intellegere carnalia et videre spiritalia,
quod fieri non potest.

ob die Körper insofern lügen, als sie ihr ähnlich sind, oder insofern, als sie sie nicht erreichen. *172.* Denn wenn sie sie erreichten, käme die Nachahmung ja zur Erfüllung. Wenn aber zur Erfüllung, wären sie ihr vollkommen ähnlich, und wenn vollkommen ähnlich, wäre zwischen der körperlichen Natur und jener geistigen Einheit kein Unterschied mehr. Wäre das der Fall, würden sie die Einheit nicht vorlügen, wären sie doch dasselbe wie diese. Doch dem aufmerksamen Betrachter lügen sie überhaupt nichts vor. Denn wer lügt, will anders scheinen, als er ist. Wer aber gegen seinen Willen für etwas anderes gehalten wird, als er ist, lügt nicht, sondern täuscht nur. *173.* Denn der Unterschied zwischen lügen und täuschen ist der: Jeder Lügner will täuschen, auch wenn man ihm nicht glaubt, ein Täuscher aber kann keiner sein, der nicht wirklich täuscht. Also lügt eine körperliche Erscheinung nicht, weil ihr der Wille dazu fehlt, und wenn man nicht glaubt, sie sei etwas, was sie nicht ist, täuscht sie auch nicht. [62] *174.* Aber nicht einmal die Augen selber täuschen, denn sie können der Seele nichts anderes als nur ihren Eindruck übermitteln. Und wenn nicht nur sie, sondern auch alle anderen leiblichen Sinne nur ihre Eindrücke übermitteln, wüßte ich nicht, was man mehr von ihnen verlangen darf. So nimm die Eitlen weg, und es wird keine Eitelkeit mehr geben. Wenn jemand meint, das Ruder werde im Wasser gebrochen und wieder heil, wenn man es herausnimmt, hat er keinen schlechten Berichterstatter, sondern ist ein schlechter Beurteiler. *175.* Denn das Auge konnte seiner Natur nach nichts anderes im Wasser wahrnehmen, durfte es auch nicht. Da nämlich die Luft anders ist als das Wasser, gehört es sich auch, daß man in Luft und Wasser verschieden wahrnimmt.[100] Demnach ist das Auge in Ordnung, denn es ist nur zum Sehen geschaffen, die Seele dagegen verkehrt, denn die höchste Schönheit zu betrachten, dazu ist ihr nicht das Auge, sondern der Geist verliehen. Sie aber richtet ihren Geist auf die Körper, ihre Augen auf Gott. Denn sie möchte verstehen, was fleischlich, und sehen, was geistig ist. Das aber ist nicht möglich.

[XXXIV.63] *176.* Quare ista perversitas corrigenda est, quia nisi fecerit quod sursum est deorsum et quod deorsum est sursum, regno caelorum aptus non erit. Non ergo summa quaeramus in infimis nec ipsis infimis invideamus. Iudicemus ea, ne cum ipsis iudicemur; id est tantum eis tribuamus quantum species meretur extrema, ne cum in novissimis prima quaerimus, a primis inter novissima numeremur. Quod nihil ipsis novissimis obest, sed nobis plurimum. *177.* Nec ideo divinae providentiae administratio minus decora fit, quia et iniusti iuste et foedi pulchre ordinantur. Et si propterea nos fallit rerum visibilium pulchritudo quia unitate continetur et non implet unitatem, intellegamus, si possumus, non ex eo quod est nos falli, sed ex eo quod non est. *178.* Omne quippe corpus verum corpus est, sed falsa unitas. Non enim summe unum est aut in tantum id imitatur ut impleat; et tamen nec corpus ipsum esset nisi utcumque unum esset. Porro utcumque unum esse non posset, nisi ab eo quod summe unum est id haberet.

[64] *179.* O animae pervicaces, date mihi qui videat sine ulla imaginatione visorum carnalium. Date mihi qui videat omnis unius principium non esse, nisi unum solum a quo sit omne unum, sive id impleat sive non impleat. Qui videat date, non qui litiget, non qui videri velit se videre quod non videt. Date qui resistat sensibus carnis et plagis quibus per illos in anima vapulavit, qui resistat consuetudini hominum, resistat

[XXXIV.63]   *Die wahre Einheit und die*
            Einbildungen

176. Diese Verkehrtheit muß beseitigt werden, was oben ist,
muß nach unten, und was unten, nach oben kommen. Nur
dann ist man zum Himmelreich geschickt.[101] So laßt uns
nicht das Höchste im Niedersten suchen und nicht am
Niedersten hangen![102] Nein, wir wollen es richten, um nicht
mit ihm gerichtet zu werden, das heißt, ihm nur soviel
einräumen, wie seiner äußerlichen Gestalt zukommt, und
nicht beim Letzten das Erste suchen. Sonst möchten wir
vom Ersten dem Letzten zugewiesen werden, was dem
Letzten nichts, aber uns sehr viel schaden würde. *177.* Das
Walten der göttlichen Vorsehung wird ja nicht dadurch
entstellt, daß die Ungerechten gerecht, die Häßlichen schön
eingeordnet werden. Und wenn uns die Schönheit der sichtbaren Dinge dadurch täuscht, daß sie wohl durch Einheit
begründet wird, aber nicht zur vollen Einheit gelangt, so
wollen wir uns bemühen, zu begreifen, daß der Irrtum nicht
aus dem stammt, was ist, sondern aus dem, was nicht ist.
178. Denn jeder Körper ist wohl ein wahrer Körper, aber
eine falsche Einheit. Denn er ist nicht zuhöchst eins, bildet
die Einheit auch nicht in dem Maße ab, daß er sie erreicht.
Dennoch wäre auch der Körper nicht er selbst, wäre er nicht
irgendwie eins. Irgendwie eins aber könnte er nicht sein,
hätte er es nicht von dem, das zuhöchst Eins ist.

[64] *179.* O ihr halsstarrigen Seelen, zeigt mir doch jemanden, der ohne Vorstellung fleischlicher Gesichte sieht. Zeigt
mir jemanden, der sieht, daß der Ursprung alles dessen, was
eins ist, einzig und allein jenes Eine ist, von dem alles Eine
stammt, mag es jenes Eine erfüllen oder nicht.[103] Zeigt mir
jemanden, der wirklich sieht, nicht bloß zankt und so tut,
als sähe er, was er doch nicht sieht. Jemanden, der den
Sinnen des Fleisches widersteht und den Nöten, die sie der
Seele bereiten, der der menschlichen Gewohnheit widersteht
und den menschlichen Lobsprüchen, der auf seinem Lager

laudibus hominum, qui compungatur in cubili suo, qui
resculpat spiritum suum, qui non foris diligat vanitates et
quaerat mendacia, qui iam sibi noverit dicere: *180.* ›Si una
Roma est quam circa Tiberim nescio quis Romulus dicitur
condidisse, falsa est ista quam cogitans fingo; non enim est
ipsa, nec ibi sum animo, nam quid ibi agatur modo utique
scirem. Si unus est sol, falsus est iste quem cogitans fingo,
nam ille curricula sua certis locis et temporibus peragit,
istum ego ubi volo et quando volo constituo. Si unus est ille
amicus meus, falsus est iste quem cogitans fingo, nam ille ubi
sit nescio, iste ibi fingitur ubi volo. Ego ipse certe unus sum
et hoc loco esse sentio corpus meum; et tamen figmento cogitationis pergo quo libet, loquor cum quo libet. *181.* Falsa
sunt haec, nec quisquam intellegit falsa. Non ergo intellego, cum ista contemplor et istis credo, quia verum esse
oportet quod intellectu contemplor. Numquid forte ista
sunt quae phantasmata dici solent? Unde ergo impleta est
anima mea inlusionibus? Ubi est verum quod mente conspicitur?‹ Ita cogitanti iam dici potest: ›Illa lux vera est qua haec
non esse vera cognoscis. Per hanc illud unum vides, quo
iudicas unum esse quidquid aliud vides, nec tamen hoc esse
quod illud est quidquid mutabile vides.‹

[XXXV.65] *182.* Quod si haec intueri palpitat mentis aspectus, quiescite; nolite certare nisi cum consuetudine cor-

sich kasteit und seinen Geist umbildet, nicht die Eitelkeit draußen liebt und Lügen nachgeht.[104] Der müßte sich doch sagen: *180.* ›Wenn es nur ein Rom gibt, das ein gewisser Romulus am Tiber erbaut haben soll, so ist dasjenige ein falsches, das ich mir in Gedanken vorstelle.[105] Denn es ist nicht dasselbe, und ich bin jetzt[106] nicht da, sonst müßte ich ja wissen, was jetzt da vorgeht. Wenn es nur eine Sonne gibt, dann ist die, welche ich mir in Gedanken vorstelle, falsch. Denn jene vollendet ihre Umläufe in gewissen Räumen und Zeiten, während ich diese hinstelle, wo und wann ich will. Wenn ich einen bestimmten Freund habe, dann ist der, welchen ich mir in Gedanken vorstelle, falsch. Denn wo jener sich aufhält, weiß ich nicht, diesen stelle ich mir vor, wo ich will. Ich selbst bin sicherlich der eine und fühle, daß mein Leib hier an dieser Stelle steht, dennoch begebe ich mich in meiner gedanklichen Vorstellung, wohin es mir beliebt, und unterhalte mich, mit wem es mir beliebt. *181.* Aber das ist eben falsch, und niemand erkennt Falsches. Wenn ich dies also betrachte und ihm Glauben schenke, erkenne ich nicht wirklich, denn was ich erkennend betrachte, muß wahr sein. Sind das nicht vielmehr Phantasiebilder, wie man es nennt? Wie kommt es denn, daß meine Seele von solchen Einbildungen erfüllt ist? Wo ist das Wahre, welches der Geist erblickt?‹ Dem, der hierüber nachdenkt, kann man antworten: ›Wodurch du erkennst, daß das vorhin Erwähnte nicht wahr ist, das ist das wahre Licht. In diesem Lichte siehst du das Eine, das dich zum Urteil befähigt, das andere, das du siehst, sei zwar auch eines, aber nicht jenes Eine, weil es wandelbar ist.‹

[XXXV.65]   *Der Ruf zur Stille*[107]

182. Wenn aber das Auge des Geistes vor diesem Anblick zurückschrickt, dann beruhigt euch und streitet nicht, es sei denn wider eure Befangenheit im Körperlichen. Besieget sie,

porum; ipsam vincite, victa erunt omnia. Unum certe quaerimus quo simplicius nihil est. Ergo in simplicitate cordis
quaeramus illum. »Agite otium«, inquit, »et agnoscetis quia
sum dominus« – non otium desidiae, sed otium cogitationis,
ut a locis ac temporibus vacet. Haec enim phantasmata
tumoris et volubilitatis constantem unitatem videre non
sinunt. *183.* Loca offerunt quod amemus, tempora subri-
piunt quod amamus et relinquunt in anima turbas phantasmatum, quibus in aliud atque aliud cupiditas incitetur. Ita fit
inquietus et aerumnosus animus, frustra tenere a quibus
tenetur exoptans. Vocatur ergo ad otium, id est, ut ista non
diligat quae diligi sine labore non possunt. Sic enim eis
dominabitur, sic non tenebitur, sed tenebit. *184.* »Iugum
meum«, inquit, »leve est.« Huic iugo qui subiectus est
subiecta habet cetera. Non ergo laborabit, non enim resistit
quod subiectum est. Sed miseri amici huius mundi – cuius
domini erunt si filii dei esse voluerint, quoniam »dedit eis
potestatem filios dei fieri« –, amici ergo huius mundi tam
timent ab eius amplexu separari, ut nihil eis sit laboriosius
quam non laborare.

[XXXVI.66] *185.* Sed cui saltem illud manifestum est, falsi-
tatem esse qua id putatur esse quod non est, intellegit eam
esse veritatem quae ostendit id quod est. At si corpora in
tantum fallunt in quantum non implent illud unum quod

und alles wird besiegt sein. Suchen wir doch das Eine und Einfachste, was es gibt. So laßt es uns in Einfalt des Herzens suchen! »Seid stille«, sagt die Schrift, »und erkennt, daß ich Gott bin.«[108] Nicht die Stille der Trägheit ist gemeint, sondern die Stille des Nachdenkens, die der Räume und Zeiten ledig ist. Denn die sich aufblähenden und vorüberhuschenden Phantasiegebilde lassen es nicht zum Schauen der standhaften Einheit kommen. *183.* Die Räume reichen uns dar, was wir lieben sollen, die Zeiten reißen uns weg, was wir liebgewonnen haben, lassen in der Seele Haufen von Phantasiebildern zurück und jagen damit unsere Begierde von einem zum anderen. So wird unser Herz ruhelos und sorgenvoll und trachtet vergeblich danach, das zu besitzen, von dem es besessen ist. Darum wird es zur Stille gerufen, das heißt nicht länger zu lieben, was man nicht ohne Mühsal lieben kann. Denn dann wird es darüber herrschen und nicht von ihm besessen werden, sondern es besitzen. *184.* »Mein Joch ist sanft«,[109] spricht der Herr. Wer dies Joch auf sich nimmt, hat alles übrige unter sich. Es kann ihm keine Mühe mehr machen, denn was unterworfen ist, leistet keinen Widerstand. Aber die armseligen Freunde dieser Welt, deren Herren sie sein könnten, wenn sie Söhne Gottes sein wollten – denn »er hat ihnen Macht gegeben, Gottes Söhne zu sein«[110] –, die Freunde dieser Welt, sage ich, fürchten so sehr, aus ihren Armen gerissen zu werden, daß ihnen nichts mühseliger erscheint, als ohne Mühsal zu leben.

[XXXVI.66] *Wesen und Ursprung von Wahrheit und Falschheit*

185. Wer jedoch klar begriffen hat, daß es Falschheit ist, wenn man das, was nicht ist, für seiend hält, der erkennt auch, daß es die Wahrheit ist, die uns zeigt, was ist. Die Körper täuschen insoweit, als sie jenes Eine nicht erreichen, das sie doch, wie feststeht, nachahmen, das Eine, das der

convincuntur imitari – a quo principio unum est quidquid
est, ad cuius similitudinem quidquid nititur naturaliter
approbamus, quia naturaliter improbamus quidquid ab unitate discedit atque in eius dissimilitudinem tendit –, datur
intellegi esse aliquid quod illius unius solius, a quo principio
unum est quidquid aliquo modo unum est, ita simile sit ut
hoc omnino impleat ac sit id ipsum. *186*. Et haec est veritas
et verbum in principio et verbum deus apud deum. Si enim
falsitas ex his est quae imitantur unum, non in quantum id
imitantur, sed in quantum implere non possunt, illa est
veritas quae id implere potuit et id esse quod illud est. Ipsa
est quae illud ostendit sicut est, unde et verbum eius et lux
eius rectissime dicitur. *187*. Cetera illius unius similia dici
possunt in quantum sunt, in tantum enim et vera sunt; haec
autem ipsa eius similitudo, et ideo veritas. Ut enim veritate
sunt vera quae vera sunt, ita similitudine similia sunt quaecumque similia. Ut ergo veritas forma verorum est, ita
similitudo forma similium est. Quapropter quoniam vera in
tantum vera sunt in quantum sunt, in tantum autem sunt in
quantum principalis unius similia sunt, ea forma est omnium
quae sunt quae summa similitudo principii et veritas est,
quia sine ulla dissimilitudine est.

[67] *188*. Unde falsitas oritur, non rebus ipsis fallentibus,
quae nihil aliud ostendunt sentienti quam speciem suam,
quam pro suae pulchritudinis acceperunt gradu, neque ipsis
sensibus fallentibus, qui pro natura sui corporis affecti non
aliud quam suas affectiones praesidenti animo nuntiant. Sed
peccata animas fallunt cum verum quaerunt relicta et

Ursprung jeglicher anderen Einheit ist, nach dessen Ähnlichkeit zu streben unsere natürliche Billigung findet, während, was von der Einheit abweicht und zur Unähnlichkeit mit ihr hinführt, auf unsere natürliche Mißbilligung stößt. Wenn man das begreift, kann man auch einsehen, daß es etwas geben muß, das jenem einzig Einen, dem Ursprung alles dessen, was sonst noch irgendwie eins ist, so ähnlich ist, daß es dasselbe gänzlich erfüllt, ja es selber ist. *186.* Das aber ist die Wahrheit, das Wort, das im Uranfang war, das Wort, das Gott war bei Gott.[111] Denn wenn Falschheit da zu finden ist, wo man das Eine nachahmt, und zwar nicht, insofern man es nachahmt, sondern insofern man es nicht erfüllen kann, so ist das die Wahrheit, die es erfüllen und eben dasselbe sein konnte. Sie ist es, die uns das Eine zeigt, wie es ist, weshalb sie auch mit höchstem Recht sein Wort heißt und sein Licht.

187. Die übrigen Dinge kann man jenem Einen ähnlich nennen, insofern sie sind, denn insofern sind sie auch wahr. Sie aber ist die Ähnlichkeit selber und darum auch die Wahrheit. Denn wie alles Wahre wahr ist durch die Wahrheit, so alles Ähnliche durch die Ähnlichkeit. Und wie die Wahrheit die Form des Wahren ist, so auch die Ähnlichkeit die Form alles Ähnlichen. Da also das Wahre insoweit wahr ist, als es ist, und insoweit ist, als es jenem ursprünglichen Einen ähnlich ist, so ist das die Form aller Dinge, die mit dem Ursprung die höchste Ähnlichkeit besitzt. Das aber ist die Wahrheit, in der es keinerlei Unähnlichkeit gibt.

[67] *188.* Falschheit entsteht also nicht auf die Weise, daß die Dinge selbst trügen, da sie ja dem Wahrnehmenden nichts anderes zeigen als ihre Gestalt, die sie nach dem Range ihrer Schönheit empfangen haben. Sie entsteht auch nicht durch Trug der Sinne, da diese je nach der Beschaffenheit ihres Leibes nichts anderes als die Eindrücke, die sie empfangen, ihrem Vorgesetzten, dem Geiste, übermitteln. Sondern die Sünden sind es, die die Seelen täuschen, wenn diese das Wahre suchen und dabei die Wahrheit verlassen und ver-

neglecta veritate. *189.* Nam quoniam opera magis quam artificem atque ipsam artem dilexerunt, hoc errore puniuntur, ut in operibus artificem artemque conquirant; et cum invenire nequiverint – deus enim non corporalibus sensibus subiacet, sed ipsi menti supereminet –, ipsa opera existiment esse et artem et artificem.

[XXXVII.68] *190.* Hinc oritur omnis impietas, non modo peccantium, sed etiam damnatorum pro peccatis suis. Non enim tantum scrutari creaturam contra praeceptum dei et ea frui potius quam ipsa lege et veritate volunt – quod primi hominis peccatum deprehenditur, male utentis libero arbitrio –, sed hoc quoque in ipsa damnatione addunt, ut non modo diligant sed etiam serviant »creaturae potius quam creatori«, et eam colunt per partes eius, a summis usque ad ima venientes. *191.* Sed aliqui se in hoc tenent, ut pro summo deo animam colant et primam intellectualem creaturam quam per veritatem pater fabricatus est, ad ipsam veritatem semper intuendam et se per ipsam, quia omni modo ei simillima est. Deinde veniunt ad vitam genitalem, per quam creaturam visibilia et temporalia gignentia deus aeternus et incommutabilis operatur. Hinc ad animalia et inde ad ipsa corpora colenda delabuntur, et in his primo eligunt pulchriora, in quibus caelestia maxime excellunt. *192.* Ergo in primis solis corpus occurrit et in eo nonnulli remanent. Aliqui et lunae splendorem religione dignum putant; est enim nobis, ut perhibetur, propinquior, unde

nachlässigen. *189.* Denn da sie die Werke mehr liebten als den Künstler und die Kunst selbst, werden sie durch den Irrtum gestraft, daß sie den Künstler und die Kunst in den Werken wohl suchen, aber nicht finden können – denn Gott unterliegt nicht den leiblichen Sinnen, sondern überragt sogar den Geist – und darum die Werke selber für den Künstler und die Kunst halten.

[XXXVII.68] *Der Fall in Götzendienst*

190. Daraus entsteht alle Gottlosigkeit sowohl der Sünder als auch der wegen ihrer Sünden Verdammten. Denn sie wollen nicht nur wider Gottes Gebot die Kreatur erforschen und an Stelle des Gesetzes und der Wahrheit genießen – das war die Sünde des ersten Menschen, der seine Freiheit mißbrauchte –, sondern gehen in ihrer Verdammnis dazu über, »das Geschöpf nicht nur mehr zu lieben als den Schöpfer«,[112] sondern auch ihm mehr zu dienen. Also verehren sie es in allen seinen Teilen, von den obersten bis hinab zu den niedersten. *191.* Einige bleiben dabei stehen, anstatt des höchsten Gottes die Seele[113] zu verehren, also die erste geistige Kreatur, die der Vater durch die Wahrheit geschaffen hat, damit sie die Wahrheit und durch sie ihn selbst immerfort anschaue, dem diese in jeder Hinsicht ganz ähnlich ist. Von da gelangen sie zur Zeugungskraft,[114] einem Geschöpf, durch welches der ewige und unwandelbare Gott die sichtbaren und zeitlichen sich fortpflanzenden Lebewesen hervorbringt. Weiterhin gleiten sie ab zur Verehrung von Tieren und von da zu bloßen Körpern. Von ihnen wählen sie sich zunächst die schöneren aus, unter denen wieder die himmlischen hervorleuchten. *192.* Da tritt ihnen zuerst der Sonnenkörper entgegen, und manche beschränken sich mit ihrer Verehrung auf ihn. Andere halten auch den Glanz des Mondes der Verehrung für würdig, denn er ist uns, wie man annimmt, näher und durch größere Nach-

viciniorem speciem habere sentitur. Alii etiam ceterorum
siderum corpora adiungunt et totum caelum cum stellis suis.
Alii caelo aethereo copulant aerem et istis duobus superioribus elementis corporeis subiciunt animas suas. *193.* Sed inter
hos illi sibi videntur religiosissimi qui universam simul creaturam, id est mundum totum cum omnibus quae in eo sunt,
et vitam qua spiratur et animatur – quam quidam corpo-
ream, quidam incorpoream esse crediderunt –, hoc ergo
totum simul unum deum magnum esse arbitrantur, cuius
partes sint ceteri. Non enim universae creaturae auctorem
conditoremque noverunt. Inde in simulacra praecipitantur et
ab operibus dei usque in opera sua demerguntur, quae tamen
adhuc visibilia sunt.

[XXXVIII.69] *194.* Est enim alius deterior et inferior cultus
simulacrorum, quo phantasmata sua colunt, et quidquid
animo errante cum superbia vel tumore cogitando imaginati
fuerint religionis nomine observant, donec fiat in anima nihil
omnino colendum esse et errare homines qui superstitioni se
involvunt et misera implicant servitute. Sed frustra hoc
sentiunt, non enim efficiunt ut non serviant; remanent
quippe ipsa vitia quibus ut illa colenda opinarentur adtracti
sunt. *195.* Serviunt enim cupiditati triplici: vel voluptatis vel
excellentiae vel spectaculi. Nego esse quemquam istorum
qui nihil colendum existimant, qui non aut carnalibus gau-

barschaft vertrauter. Noch andere nehmen auch die Körper der übrigen Gestirne hinzu, mitsamt dem ganzen Sternenhimmel. Wieder andere verknüpfen mit dem ätherischen Himmel die Luft und unterwerfen ihre Seele diesen beiden höheren körperlichen Elementen. *193.* Aber von ihnen allen meinen am frommsten zu sein, die die Kreatur in ihrer Gesamtheit, also die ganze Welt, mit allem was darinnen ist, einschließlich des Lebens, das sie beseelt, ins Auge fassen, indem sie dies Ganze teils für körperlich, teils für unkörperlich halten. Sie meinen also, das alles zusammen sei der eine große Gott und seine Teile die übrigen Dinge. Denn sie kennen den Urheber und Schöpfer des Weltalls nicht. Darum stürzen sie in Götzendienst und sinken von den Werken Gottes zu ihren eigenen herab, die aber ebenfalls sichtbar bleiben.

[XXXVIII.69] *Auch der Atheist ist ein Knecht.*
Jesu Warnung

194. Es gibt nämlich einen noch erbärmlicheren und niedrigeren Götzendienst, nämlich bloße Phantasiegebilde anzubeten und mit dem Namen der Religion zu schmücken, also zu verehren, was sich die irregeleitete Seele hochmütig und aufgeblasen ausgedacht hat.[115] Schließlich kommt die Seele dahin, zu meinen, es gäbe überhaupt nichts zu verehren, und es sei ein Irrwahn, wenn die Menschen sich in Aberglauben verstrickten und dadurch in elende Knechtschaft gerieten.[116] Aber das nützt ihnen gar nichts, denn die Knechtschaft werden sie auf diese Weise nicht los. Bleiben doch die Laster zurück, die sie zur Verehrung jener Hirngespinste verführt hatten. *195.* Denn sie huldigen nun einer dreifachen Begierde, der Begierde nach Wollust, nach Ehrenstellen und nach Schauspielen. Denn ich bestreite, daß irgendeiner von denen, die sich einbilden, nichts zu verehren, nicht fleischlichen Lüsten hingegeben ist, oder um eitle

diis subditus sit aut potentiam vanam foveat aut aliquo
spectaculo delectatus insaniat. Ita nescientes diligunt temporalia, ut inde beatitudinem exspectent. His autem rebus
quibus quisque beatus vult effici serviat necesse est, velit
nolit. *196.* Nam quocumque duxerint sequitur, et quisquis
ea visus fuerit auferre posse, metuitur. Possunt autem auferre ista et scintilla ignis et aliqua parva bestiola. Postremo,
ut omittam innumerabiles adversitates, tempus ipsum aufe-
rat necesse est omnia transeuntia. Itaque cum omnia temporalia mundus iste concludat omnibus mundi partibus serviunt, qui propterea putant nihil colendum esse ne serviant.
[70] *197.* Verumtamen quamquam in hac rerum extremitate
miseri iaceant ut vitia sua sibi dominari patiantur – vel
libidine vel superbia vel curiositate damnati vel duobus
horum vel omnibus –, quamdiu sunt in hoc stadio vitae
humanae, licet eis congredi et vincere, si prius credant quod
intellegere nondum valent, et non diligant mundum, »quoniam omne quod in mundo est«, sicut divinitus dictum est,
»concupiscentia carnis est et concupiscentia oculorum et
ambitio saeculi.« Hoc modo tria illa notata sunt, nam concupiscentia carnis voluptatis infimae amatores significat, concupiscentia oculorum curiosos, ambitio saeculi superbos.
[71] *198.* Triplex etiam temptatio in homine quem veritas
ipsa suscepit, cavenda monstrata est. »Dic«, inquit tempt-
tator, »lapidibus istis, ut panes fiant.« At ille unus et solus
magister: »Non in pane solo vivit homo, sed in omni verbo
dei.« Ita enim domitam docuit esse oportere cupiditatem
voluptatis, ut nec fami cedendum sit. Sed forte dominationis

Macht sich bemüht, oder sich unsinnig an irgendwelchen Schauspielen ergötzt. So lieben sie, ohne sich dessen bewußt zu sein, das Zeitliche, indem sie davon ihre Seligkeit erwarten. Aber den Dingen, durch die jemand selig werden will, muß er unweigerlich Dienst leisten, er mag wollen oder nicht. *196.* Denn wohin sie ihn auch führen mögen, er folgt ihnen und hat Angst vor allem, was aussieht, als könnte es sie ihm entziehen. Dergleichen gibt es aber, sei es auch nur ein Fünklein Feuer oder ein winziges Tier. Zuletzt und von allen ungezählten Mißgeschicken abgesehen, nimmt unweigerlich die Zeit selber alles Vergängliche weg. Da nun diese unsere Welt alles Zeitliche in sich faßt, dienen diejenigen, die nichts verehren wollen, um keine Knechte zu sein, dennoch all ihren Teilen. [70] *197.* Aber obgleich sie in solch kläglicher Lage sich befinden, da sie zu Wollust, Hochmut oder Neugier verdammt sind – vielleicht zu zweien, vielleicht auch zu allen dreien – und sich gefallen lassen, daß ihre Laster sie beherrschen, können sie doch, solange sie auf dieser Stufe menschlichen Lebens sich befinden, mit ihnen streiten und sie besiegen. Nur müssen sie zunächst glauben, was sie noch nicht einsehen können, und dürfen die Welt nicht lieben. »Denn alles, was in der Welt ist«, so sagt das göttliche Wort, »das ist Fleischeslust und Augenlust und hoffärtiges Leben.«[117] Damit sind jene drei, von denen wir hörten, gemeint. Denn Fleischeslust kennzeichnet die Liebhaber niederer Wollust, Augenlust die Neugierigen und hoffärtiges Leben die Stolzen. [71] *198.* In dieser dreifachen Gestalt trat auch an jenen Mann, in dem die Wahrheit selber sich verkörperte, die Versuchung heran, um uns zu warnen, daß man sich vor ihr hüten muß. »Sprich zu diesen Steinen«, sagte der Versucher, »daß sie Brot werden.« Aber der eine, alleinige Meister antwortete: »Der Mensch lebt nicht vom Brot allein, sondern von einem jeglichen Worte Gottes.« Damit lehrte er, die Genußsucht müsse so völlig gebändigt werden, daß man nicht einmal dem Hunger nachgebe. Aber vielleicht ließ er, den Fleischeslust nicht verlocken konnte,

temporalis fastu decipi poterat qui carnis voluptate non
potuit; omnia ergo mundi regna monstrata sunt et dictum
est: »Omnia tibi dabo, si prostratus adoraveris me.«
199. Cui responsum est: »Dominum deum tuum adorabis et
illi soli servies.« Ita calcata superbia est. Subiecta est autem
extrema etiam curiositatis inlecebra; non enim ut se de
fastigio templi praecipitaret urgebat nisi causa tantum aliquid experiendi. Sed neque hic victus est, et ideo sic respon-
dit ut intellegeremus non opus esse ad cognoscendum deum
temptationibus visibiliter divina explorare molientibus:
»Non temptabis«, inquit, »deum et dominum tuum.« *200.*
Quam ob rem quisquis intus dei verbo pascitur non quaerit
in ista heremo voluptatem, qui uni deo tantum subiectus est
non quaerit in monte, id est in terrena elatione iactantiam,
quisquis aeterno spectaculo incommutabilis veritatis adhae-
rescit, non per fastigium huius corporis, id est per hos
oculos praecipitatur, ut temporalia et inferiora cognoscat.

[XXXIX.72] *201.* Quid igitur restat unde non possit anima
recordari primam pulchritudinem quam reliquit, quando de
ipsis suis vitiis potest? Ita enim »sapientia dei pertendit
usque in finem fortiter«; ita per hanc summus ille artifex
opera sua in unum finem decoris ordinata contexuit, ita illa
bonitas a summo ad extremum nulli pulchritudini, quae ab
ipso solo esse posset, invidit, ut nemo ab ipsa veritate

durch Verlangen nach zeitlicher Herrschaft sich verführen. So wurden ihm alle Reiche der Welt gezeigt und hieß es: »Alles will ich dir geben, wenn du niederfällst und mich anbetest.« *199.* Doch darauf erfolgte die Antwort: »Du sollst Gott, deinen Herrn, anbeten und ihm allein dienen.« So wurde der Stolz niedergeworfen. Endlich ward auch die letzte Verlockung zur Neugier überwunden. Denn was ihn drängte, sich von der Zinne des Tempels herabzustürzen, war nichts anderes als die Aussicht, eine erstaunliche Erfahrung zu machen. Aber auch diesmal ward er nicht besiegt, und die Antwort, die er gab, sollte uns zur Einsicht führen, daß zur Erkenntnis Gottes keine sichtbaren Proben göttlicher Hilfeleistung nötig sind. So sprach er denn: »Du sollst Gott, deinen Herrn, nicht versuchen.«[118] *200.* Wer innerlich vom Worte Gottes gespeist wird, sucht keine Lustbefriedigung in dieser Wüste. Wer nur dem einen Gott unterworfen ist, sucht nicht auf dem Berge, das ist in irdischer Erhöhung, Befriedigung des Stolzes. Und wer seine Blicke auf das ewige Schauspiel der unwandelbaren Wahrheit heftet, der wird nicht durch die Zinne seines Leibes, nämlich seine leiblichen Augen, herabgestürzt, Zeitliches und Niederes erkennen zu wollen.[119]

[XXXIX.72] *Wo Schönheit und Wahrheit zu finden sind.*
Unbezweifelbar selbst für den Zweifler

201. Nichts gibt es, was nicht die Seele an ihre verlorene ursprüngliche Schönheit erinnern könnte. Sogar ihre eigenen Gebrechen können es. Denn »Gottes Weisheit reicht von einem Ende bis zum anderen gewaltiglich«.[120] So sinnvoll hat der höchste Künstler durch sie seine Werke geordnet, daß sie gleichsam ein schönes Gewebe bilden. So wenig mißgönnt seine Güte irgendwelcher Schönheit von der höchsten bis zur niedersten ihr Dasein, welches sie nur ihm verdankt, daß niemand von der Wahrheit abgedrängt wer-

deiciatur qui non excipiatur ab aliqua effigie veritatis.
202. Quaere in corporis voluptate quid teneat, nihil aliud
invenies quam convenientiam; nam si resistentia pariunt
dolorem, convenientia pariunt voluptatem. Recognosce igitur quae sit summa convenientia. Noli foras ire, in te ipsum
redi; in interiore homine habitat veritas, et si tuam naturam
mutabilem inveneris, transcende et te ipsum. Sed memento
cum te transcendis, ratiocinantem animam te transcendere.
203. Illuc ergo tende unde ipsum lumen rationis accenditur.
Quo enim pervenit omnis bonus ratiocinator nisi ad veritatem? cum ad se ipsam veritas non utique ratiocinando perve-
niat, sed quod ratiocinantes appetunt, ipsa sit. Vide ibi
convenientiam qua superior esse non possit, et ipse conveni
cum ea. Confitere te non esse quod ipsa est; siquidem se ipsa
non quaerit, tu autem ad eam quaerendo venisti, non locorum
spatio sed mentis affectu, ut ipse interior homo cum suo
inhabitatore non infima et carnali, sed summa et spiritali
voluptate conveniat. [73] *204.* Aut si non cernis quae dico, et
an vera sint dubitas, cerne saltem utrum te de his dubitare non
dubites; et si certum est te esse dubitantem, quaere unde sit
certum. Non illic tibi, non omnino solis huius lumen occur-
ret, sed »lumen verum quod inluminat omnem hominem
venientem in hunc mundum«. Quod his oculis videri non
potest, nec illis quibus phantasmata cogitantur, per eosdem
oculos animae impacta, sed illis quibus ipsis phantasmatis
dicitur: *205.* ›Non estis vos quod ego quaero, neque

den kann, ohne wenigstens noch einen Schimmer von ihr wahrzunehmen. *202.* Frag nur, was an leiblichem Genuß dich fesselt. Du wirst nichts anderes finden als Übereinstimmung.[121] Denn wenn Unstimmigkeit schmerzt, erzeugt Übereinstimmung Genuß. So erforsche denn, welches die höchste Übereinstimmung ist. Geh nicht nach draußen, kehr wieder ein bei dir selbst! Im inneren Menschen wohnt die Wahrheit.[122] Und wenn du deine Natur noch wandelbar findest, so schreite über dich selbst hinaus! Doch bedenke, daß, wenn du über dich hinausschreitest, die vernünftige Seele es ist, die über dich hinausschreitet. *203.* Dorthin also trachte, von wo der Lichtstrahl kommt, der deine Vernunft erleuchtet. Denn wohin sonst gelangt, wer seine Vernunft recht gebraucht, wenn nicht zur Wahrheit? Die Wahrheit kommt ja nicht durch Vernunftgebrauch zu sich selber, sondern sie ist das, wonach alle, die ihre Vernunft gebrauchen, trachten. So sieh, hier ist die denkbar höchste Übereinstimmung, und nun stimme auch du mit ihr überein. Bekenne, daß du nicht bist, was sie ist. Denn sie selbst sucht sich nicht, du aber bist suchend zu ihr gelangt, nicht einen Raum durchmessend, sondern von Sehnsucht des Geistes getrieben. So möge denn der innere Mensch mit ihr, die bei ihm Wohnung genommen hat, nicht zu niederstem und fleischlichem, sondern zu höchstem und geistigem Genusse übereinstimmen. [73] *204.* Aber wenn du nicht einsiehst, was ich sage, und zweifelst, ob es wahr sei, so sieh zu, ob du auch daran zweifelst, daß du es bezweifelst. Und wenn es gewiß ist, daß du zweifelst, so forsche, woher diese Gewißheit kommt. Da wird dir nicht, ganz gewiß nicht, das Licht dieser unserer Sonne begegnen, sondern »das wahre Licht, das alle Menschen erleuchtet, die in diese Welt kommen«.[123] Das aber kann nicht mit unseren leiblichen Augen gesehen werden, auch nicht mit denen, die sich Phantasiegebilde vorstellen, die ja durch dieselben Augen der Seele aufgedrängt werden, sondern mit denen, die zu solchen Phantasiegebilden sagen: *205.* ›Ihr seid nicht, was ich suche, ihr

illud estis unde vos ordino; et quod mihi inter vos foedum
occurrerit improbo, quod pulchrum approbo, cum pulchrius sit illud unde inprobo et adprobo. Quare hoc ipsum
magis approbo, et non solum vobis, sed illis omnibus corporibus unde vos hausi, antepono.‹ Deinde regulam ipsam
quam vides concipe hoc modo: Omnis qui se dubitantem
intellegit, verum intellegit, et de hac re quam intellegit certus
est; de vero igitur certus est. *206.* Omnis ergo qui utrum sit
veritas dubitat, in se ipso habet verum unde non dubitet; nec
ullum verum nisi veritate verum est. Non itaque oportet
eum de veritate dubitare qui potuit undecumque dubitare.
Ubi videntur haec, ibi est lumen sine spatio locorum et
temporum et sine ullo spatiorum talium phantasmate.
207. Numquid ista ex aliqua parte corrumpi possunt, etiamsi
omnis ratiocinator intereat aut apud carnales inferos veteres-
cat? Non enim ratiocinatio talia facit, sed invenit. Ergo
antequam inveniantur in se manent, et cum inveniuntur nos
innovant.

[XL.74] *208.* Ita renascitur interior homo, et exterior corrumpitur de die in diem. Sed interior exteriorem respicit et
in sua comparatione foedum videt, in proprio tamen genere
pulchrum et corporum convenientia laetantem, et corrum-
pentem quod in bonum suum convertit, alimenta scilicet
carnis. Quae tamen corrupta, id est amittentia formam
suam, in membrorum istorum fabricam migrant et corrupta
reficiunt, in aliam formam per convenientiam transeuntia, et

seid auch nicht das, wonach ich euch beurteile und bald
tadele, was mir an euch als häßlich mißfällt, bald lobe, was
als schön gefällt, während das, wonach Tadel und Lob sich
richtet, noch schöner ist. Darum lobe ich eben dies zualler-
meist und ziehe es nicht nur euch, sondern auch allen jenen
Körpern vor, die mich veranlaßten, euch zu bilden.‹ So ergibt sich folgende Erkenntnisregel: Jeder, der einsieht, daß
er zweifelt, sieht etwas Wahres ein und ist dessen, was er
einsieht, auch gewiß. Also ist er eines Wahren gewiß.
206. Jeder also, der daran zweifelt, ob es eine Wahrheit gibt,
hat in sich selbst etwas Wahres, woran er nicht zweifelt. Da
nun alles Wahre nur durch die Wahrheit wahr ist, kann
niemand an der Wahrheit zweifeln, der überhaupt zweifeln
kann. Wo man dies sieht, glänzt jenes Licht, das nichts von
Raum- und Zeitgrößen, auch nichts von räumlich oder
zeitlich gedachten Phantasiebildern weiß. *207.* Kann das
wohl auf irgendeine Weise untergehen, auch wenn jeder,
welcher es mit seiner Vernunft erfaßt hat, untergeht oder mit
den niederen Fleischesmenschen hinwelkt? Nein, denn der
Vernunftgebrauch bringt es nicht hervor, sondern findet es.
Ehe es aber gefunden wird, beruht es in sich, und wenn es
gefunden wird, erneuert es uns.[124]

[XL.74] *Schönheit im Bereich der Körperwelt.*
Der Blick aufs Ganze

208. So wird der innere Mensch wiedergeboren, während
der äußere von Tag zu Tage hinschwindet.[125] Aber der
innere blickt auf den äußeren zurück und sieht, daß dieser,
verglichen mit ihm selber, zwar häßlich, in seiner Art jedoch
auch schön ist. Denn er erfreut sich leiblicher Wohlgestalt
und verbraucht seinerseits Nahrungsmittel, die seinem eigenen Wohlsein dienen. Verzehrt und ihrer eigenen Form
verlustig, gehen sie nämlich ein in die Werkstätte der Glieder, werden da aufgelöst und zugleich erneuert und auf

per vitalem motum diiudicantur quodam modo, ut ex eis
in structuram huius visibilis pulchri quae apta sunt adsu-
mantur, non apta vero per congruos meatus eiciantur.
209. Quorum aliud faeculentissimum redditur terrae ad alias
formas assumendas, aliud per totum corpus exalat, aliud
totius animalis latentes numeros accipit et inchoatur in pro-
lem, et sive convenientia duorum corporum sive tali aliquo
phantasmate commotum per genitales vias ab ipso vertice
defluit in infima voluptate. Iam vero in matre per certos
numeros temporum in locorum numerum coaptatur, ut suas
regiones quaeque membra occupent. 210. Et si modum
parilitatis servaverint, luce coloris adiuncta nascitur corpus
quod formosum vocatur et a suis dilectoribus amatur acer-
rime; non tamen in eo plus placet forma quae movetur quam
vita quae movet. Nam illud animal, si nos amet, allicit
violentius; si oderit autem, suscensemus et ferre non possumus, etiamsi formam ipsam praebeat fruenti. Hoc totum est
voluptatis regnum et ima pulchritudo, subiacet enim corruptioni. Quod si non esset, summa putaretur.
[75] 211. Sed adest divina providentia, quae hanc ostendat et
non malam, propter tam manifesta vestigia primorum numerorum in quibus »sapientiae dei non est numerus«, et extremam tamen esse, miscens ei dolores et morbos et distortio-
nes membrorum et tenebras coloris et animorum simultates
ac dissensiones, ut ex his admoneamur incommutabile ali-

angemessene Weise in eine andere Gestalt überführt. Denn der Lebenstrieb prüft sie gewissermaßen und sondert aus, was für den Aufbau der sichtbaren Leibesschönheit brauchbar ist, während er das Unbrauchbare durch die dazu dienlichen Kanäle ausstößt. 209. Teilweise, soweit es bloßer Unrat ist, überläßt man es der Erde, damit es in ihr neue Formen annehme. Teilweise dünstet der ganze Körper es aus, teilweise nimmt es auch zum Zweck der Zeugung von Nachkommen die geheimen Zahlen des ganzen Lebewesens an und, angeregt durch die Berührung zweier Leiber oder auch durch bloße entsprechende Phantasiebilder, rinnt es aus den oberen Körperteilen auf den Geschlechtsbahnen in niederer Wollust herab. Sodann und bereits im Mutterleibe fügt es sich unter dem Einfluß bestimmter zeitlicher Zahlen in zahlenmäßig geordnete Räumlichkeit, so daß jedes Glied seinen Platz einnimmt. 210. Und wenn nun die Glieder das rechte Verhältnis bewahren und Licht und Farbe hinzukommt, wird ein Leib geboren, den man wohlgestaltet nennt und den seine Gönner leidenschaftlich lieben. Doch schätzen sie an ihm weniger die bewegte Form als das bewegende Leben. Und wenn jenes Lebewesen auch uns liebt, sind wir entzückt; will es dagegen von uns nichts wissen, zürnen wir und können es nicht ertragen, obschon seine Gestalt nach wie vor anziehend bleibt. Das alles aber ist das Reich der Sinnenlust und niederen Schönheit. Denn es unterliegt der Vergänglichkeit. Wäre das nicht, würde man es für höchste Schönheit halten.

[75] 211. Doch hier kommt die göttliche Vorsehung zu Hilfe. Sie öffnet das Auge für diese Schönheit und zeigt, daß sie nichts Böses ist, da sie offenkundig die Spuren der vornehmsten Zahlen aufweist sowie der »Weisheit Gottes, die über alle Zahlen erhaben ist«.[126] Aber die Vorsehung zeigt auch, daß dies die niederste Schönheit ist, denn sie gesellt ihr Schmerzen zu und Krankheiten, Verkrümmung der Glieder und Trübung der Farbe, Zank und Zwietracht der Gemüter, um uns dadurch zu ermahnen, ein Unwandelbares

quid esse quaerendum. Et hoc facit per infima ministeria, quibus id agere voluptatis est, quos exterminatores et angelos iracundiae divinae scripturae nominant, quamvis ipsi nesciant quid de se agatur boni. *212.* His similes sunt homines qui gaudent miseriis alienis et risus sibi ac ludicra spectacula exhibent vel exhiberi volunt eversionibus et erroribus aliorum. Atque ita in his omnibus boni admonentur et exercentur et vincunt et triumphant et regnant, mali vero decipiuntur cruciantur vincuntur damnantur et serviunt non uni omnium domino summo, sed ultimis servis illis, videlicet angelis qui doloribus et miseria damnatorum pascuntur, et pro ista malevolentia bonorum liberatione torquentur. [76] *213.* Ita ordinantur omnes officiis et finibus suis in pulchritudinem universitatis, ut quod horremus in parte, si cum toto consideremus, plurimum placeat, quia nec in aedificio iudicando unum tantum angulum considerare debemus nec in homine pulchro solos capillos nec in bene pronuntiante solum digitorum motum nec in lunae cursu aliquas tridui tantum figuras. *214.* Ista enim, quae propterea sunt infima quia partibus imperfectis tota perfecta sunt, sive in statu sive in motu sentiantur, tota consideranda sunt, si recte volumus iudicare. Verum enim nostrum iudicium, sive de toto sive de parte iudicet, pulchrum est; universo quippe mundo superfertur, nec alicui parti eius, in quantum verum iudicamus, adhaeremus. Error autem noster parti adhaerens eius ipse per se foedus est. *215.* Sed sicut niger color in pictura cum toto fit pulcher, sic istum totum agonem decen-

zu suchen. Sie führt das aus durch untergeordnete Diener, die daran ihr Vergnügen haben, die von der Schrift Verderber und Zornesengel[127] genannt werden und selber nicht wissen, daß die Vorsehung durch sie Gutes wirkt. *212.* Ihnen gleichen die Menschen, die sich an fremdem Elend freuen und sich aus dem Untergang und den Verirrungen anderer ein Gelächter und kurzweiliges Schauspiel bereiten oder bereiten lassen wollen. Aber durch all das werden die Guten gemahnt und geübt. Sie siegen, triumphieren und herrschen, während die Bösen getäuscht, gepeinigt, besiegt, verdammt und zu Sklaven werden, zu Sklaven nicht des einen und allüberragenden Herrn, sondern derer, die selbst niedrigste Sklaven sind, nämlich jener Engel, die sich an den Qualen und dem Elend der Verdammten weiden und für ihre Böswilligkeit dadurch gezüchtigt werden, daß sie die Rettung der Guten ansehen müssen. [76] *213.* So werden alle je nach ihren Aufgaben und Zielen eingeordnet in die Schönheit des Weltalls, so daß uns auch das, was als Teilstück abstößt, aufs beste gefällt, wenn wir es im Zusammenhang des Ganzen betrachten. So dürfen wir auch, wenn wir ein Gebäude beurteilen, nicht nur eine Ecke betrachten, auch nicht bei einem schönen Menschen nur die Haare, oder bei einem guten Vortragskünstler bloß die Fingerbewegungen, oder beim Lauf des Mondes nur die in drei Tagen zurückgelegte Strecke. *214.* Denn all dies, das darum zum niedersten Bereich gehört, weil es bei seiner Zusammensetzung aus unvollkommenen Teilen nur als Ganzes vollkommen ist, es muß, mag man es nun in Ruhe oder Bewegung schön finden, als Ganzes beurteilt werden, wenn wir recht urteilen wollen. Unser wahres Urteil aber, gelte es nun dem Ganzen oder dem Teile, ist immer schön. Denn es überfliegt die ganze Welt und bleibt nicht, sofern wir wahr urteilen, an einem Teil hängen. Unser Irrtum dagegen, der an einem Teil der Welt hängenbleibt, ist an sich häßlich. *215.* Aber wie in einem Gemälde auch die schwarze Farbe im Zusammenhang des Ganzen schön ist, so weiß die unwandelbare göttliche

ter edit incommutabilis divina providentia, aliud victis, aliud
certantibus, aliud victoribus, aliud spectatoribus, aliud quietis et solum deum contemplantibus tribuens, cum in his
omnibus non sit malum nisi peccatum et poena peccati, hoc
est defectus voluntarius a summa essentia et labor in ultima
non voluntarius. Quod alio modo sic dici potest: libertas a
iustitia et servitus sub peccato.

[XLI.77] *216.* Corrumpitur autem homo exterior aut profectu interioris aut defectu suo. Sed profectu interioris ita
corrumpitur ut totus in melius reformetur et restituatur in
integrum »in novissima tuba«, ut non iam corrumpatur
neque corrumpat. Defectu autem suo in pulchritudines cor-
ruptibiliores, id est poenarum ordinem praecipitatur. Nec
miremur quod adhuc pulchritudines nomino; nihil enim est
ordinatum quod non sit pulchrum. Et, sicut ait apostolus:
»Omnis ordo a deo est.« *217.* Necesse est autem fateamur
meliorem esse hominem plorantem quam laetantem vermi-
culum. Et tamen vermiculi laudem sine mendacio ullo
copiose possum dicere, considerans nitorem coloris, figuram
teretem corporis, priora cum mediis, media cum posterioribus congruentia et unitatis appetentiam pro suae naturae
humilitate servantia, nihil ex una parte formatum quod non
ex altera parili dimensione respondeat. *218.* Quid iam de

Vorsehung dies Kampfspiel als Ganzes untadelig aufzuführen, indem sie jedem seine Rolle zuteilt, eine den Besiegten, eine andere den noch Kämpfenden, eine andere den Siegern, eine andere den Zuschauern, eine andere denen, die ruhevoll allein zu Gott aufschauen. Aber in alledem ist schlecht lediglich die Sünde und Sündenstrafe, das ist der willentliche Abfall von der höchsten Wesenheit und die ungewollte Mühsal in unterster Tiefe. Mit anderen Worten kann man die letztere auch so beschreiben: Freiheit von der Gerechtigkeit und Sklaverei unter der Sünde.

[XLI.77] *Schönheit überall, im Wurm und Universum, abgestuft, aber ohne Flecken*

216. Der äußere Mensch aber verdirbt entweder durch Fortschreiten des inneren oder durch sein eigenes Hinschwinden. Wenn durch das Fortschreiten des inneren, so wird der ganze Mensch zum Besseren erneuert und erfolgt die völlige Wiederherstellung beim Ton der letzten Posaune,[128] worauf er weder verderbt werden noch selber verderben kann. Wenn durch sein eigenes Hinschwinden, sinkt er zu immer mehr dem Verderben ausgesetzten Schönheiten herab, wie es die Strafe anordnet. Wir dürfen uns nicht darüber wundern, wenn ich auch dann noch von Schönheit spreche, denn wo Ordnung, da ist auch Schönheit. Es ist ja so, wie der Apostel sagt: »Alle Ordnung stammt von Gott.«[129] *217.* Wir müssen freilich gestehen: Ein weinender Mensch ist besser als ein fröhlicher Wurm, doch könnte ich auch zum Lob des Wurmes, ohne zu lügen, vielerlei vorbringen. Man braucht ja nur seine hübsche Färbung zu betrachten, die rundliche Gestalt seines Körpers, wie sein Vorderteil zur Mitte und diese wieder zum Hinterteil stimmt und wie alles der Niedrigkeit des Geschöpfes entsprechend nach Einheit strebt. Da gibt es nichts auf der einen Seite, dem nicht auf der anderen ein gleichgeformtes Gegenstück entspräche. *218.* Und was

anima ipsa dicam vegetante modulum corporis sui, quomodo eum numerose moveat, quomodo appetat convenientia, quomodo vincat aut caveat obsistentia quantum potest,
et ad unum sensum incolumitatis referens omnia, unitatem
illam conditricem naturarum omnium multo evidentius
quam corpore insinuet? *219.* Loquor de vermiculo, animante
qualicumque: cineris et stercoris laudem verissime atque
uberrime plerique dixerunt. Quid ergo mirum est si hominis
animam, quae ubicumque sit et qualiscumque sit omni corpore est melior, dicam pulchre ordinari et de poenis eius
alias pulchritudines fieri? cum ibi non sit quando misera est
ubi esse beatos decet, sed ibi sit ubi esse miseros decet.
[78] *220.* Prorsus nemo nos fallat. Quidquid recte vituperatur in melioris comparatione respuitur. Omnis autem natura
quamvis extrema, quamvis infima, in comparatione nihili
iure laudatur. Et tum cuique non est bene, si esse melius
potest. Quare si nobis potest bene esse cum ipsa veritate,
male sumus cum quolibet vestigio veritatis, multo ergo
deterius cum extremitate vestigii, quando carnis voluptatibus adhaeremus. *221.* Vincamus ergo huius cupiditatis vel
blanditias vel molestias; subiugemus nobis hanc feminam, si
viri sumus. Nobis ducibus et ipsa erit melior, nec iam
cupiditas sed temperantia nominabitur. Nam cum ipsa ducit,
nos autem sequimur, cupiditas illa et libido, nos vero temeri-
tas et stultitia nuncupamur. Sequamur Christum caput
nostrum, ut et nos sequatur cui caput sumus. *222.* Hoc et
feminis praecipi potest, non maritali sed fraterno iure, quo

wäre vollends von der Seele zu sagen, die diesen ärmlichen Leib belebt, wie sie ihn nach Zahlenmaß bewegt, wie sie das ihm Zusagende erstrebt, entgegenstehende Hindernisse nach Möglichkeit überwindet oder ihnen ausweicht und alles auf den einen Sinn der Selbsterhaltung hinordnet und damit noch viel offensichtlicher als der Leib auf jene Einheit, die Urheberin aller Geschöpfe, hinweist. *219.* Nun, ich rede von einem immerhin beseelten Wurme. Andere haben sogar mit Recht und lang und breit das Lob der Asche und des Mistes gesungen.[130] Was Wunder also, wenn ich sage, daß des Menschen Seele, die überall und in jeglichem Zustande besser ist als jeder Leib, schön geordnet werde, und daß aus ihrer Bestrafung eine neue Schönheit entstehe. Denn in ihrem Elend ist sie nicht dort, wohin die Seligen gehören, sondern eben dort, wohin Elende gehören. [78] *220.* Genug, niemand soll uns täuschen. Was mit Recht getadelt wird, scheint nur im Vergleich mit Besserem minderwertig.[131] Aber jedes Wesen, und sei es das letzte und niedrigste, wird, verglichen mit dem Nichts, von Rechts wegen gelobt. Nur dann fühlt jemand sich nicht wohl, wenn er es besser haben kann. Weil es uns also nur im Besitz der Wahrheit selber wohl sein kann, fühlen wir uns schlecht, wenn wir bloß irgendeine Spur von ihr besitzen, und noch viel schlechter, wenn es sich um die letzte Spur handelt und wir den Lüsten des Fleisches verhaftet sind. *221.* Besiegen wir also die Lockungen und Belästigungen der Begierde, unterwerfen wir uns dies Weib, wenn wir Männer sind! Haben wir die Führung erlangt, wird es selber besser sein und dann nicht mehr Begierde, sondern Mäßigung heißen. Wenn aber das Weibsbild führt und wir ihm folgen, dann wird es Begierde und Wollust genannt werden, und im Hinblick auf uns wird man von Frechheit und Torheit reden. Folgen wir aber Christus, unserem Haupte, dann wird auch sie uns folgen, deren Haupt wir sind. *222.* Diese Mahnung gilt auch den Frauen, nicht nach dem Recht der Ehe, sondern nach dem der Bruderschaft. Denn nach diesem Rechte sind wir in

iure in Christo nec masculus nec femina sumus. Habent
enim et illae virile quiddam unde femineas subiugent volup-
tates, unde Christo serviant et imperent cupiditati. Quod in
multis viduis et virginibus dei, in multis etiam maritatis sed
iam fraterne coniugalia iura servantibus Christiani populi
dispensatione manifestum est. *223.* Quod si ab ea parte cui
dominari nos deus iubet atque ut in nostram possessionem
restituamur et hortatur et opitulatur, si ergo ab hac parte per
neglegentiam et impietatem vir subditus fuerit, id est mens et
ratio, erit quidem homo turpis et miser, sed destinatur in hac
vita et post hanc vitam ordinatur, quo eum destinari et ubi
ordinari summus ille rector et dominus iudicat. Nulla itaque
foeditate universam creaturam maculare permittitur.

[XLII.79] *224.* Ambulemus ergo dum diem habemus, id est
dum ratione uti possumus, ut ad deum conversi verbo eius
quod verum lumen est, inlustrari mereamur, ne nos tenebrae
conprehendant. Dies est enim praesentia illius luminis quod
»inluminat omnem hominem venientem in hunc mundum.«
›Hominem‹ dixit, quia ratione uti potest, et ubi cecidit ibi
incumbere ut surgat. Si ergo voluptas carnis diligitur, ea ipsa
diligentius consideretur; et cum ibi recognita fuerint quo-
rundam vestigia numerorum, quaerendum est ubi sine

Christus weder Mann noch Weib. Haben doch auch christliche Frauen etwas Männliches an sich, womit sie die weibischen Lüste unterjochen, Christus dienen und die Begierde beherrschen. Das hat sich bei vielen gottgeweihten Witwen und Jungfrauen gezeigt und auch bei vielen verheirateten Frauen, die im Sinne des christlichen Volkes ihr eheliches Leben geschwisterlich führen. 223. Wenn aber der Mann, das heißt der Geist und die Vernunft, sich von dem Teil unterwerfen läßt, den wir nach Gottes Willen beherrschen und wieder in unsere Botmäßigkeit bringen sollen, wozu Gott uns mahnt und wobei er uns behilflich sein will – wenn er, sage ich, aus Nachlässigkeit und Gottlosigkeit sich unterwerfen läßt, dann wird der Mensch zwar sogleich erbärmlich und elend sein. Doch wird ihm in diesem Leben der Platz, wohin er gehört, nur vorherbestimmt und erst in jenem Leben endgültig angewiesen, wie das Gericht des höchsten Lenkers und Herrn, das für Bestimmung und Anweisung zuständig ist, es verfügt. Denn das Ganze der geschöpflichen Welt darf durch keinen Flecken entstellt werden.

[XLII.79] *Zahl und Maß, unräumlich im Lebenstrieb aller Geschöpfe wirksam*

224. Wandeln wir also, solange es Tag ist und wir unsere Vernunft gebrauchen können, so, daß wir Gott zugewandt bleiben. Dann wird uns auch sein Wort, das wahre Licht, erleuchten und Finsternis uns nicht überfallen. Denn der Tag ist die Gegenwart jenes Lichtes, »das jeden Menschen erleuchtet, der in diese Welt kommt«.[132] Vom ›Menschen‹ redet dies Bibelwort, weil nur er die Vernunft gebrauchen und da, wo er gefallen ist, sich aufstützen kann, um aufzustehen.[133] Wer also die Fleischeslust liebt, möge gerade sie sorgfältiger betrachten, und wenn er da die Spuren gewisser Zahlen erkennt, dorthin suchend aufblicken, wo sie sich ohne räumliche Aufblähung zeigen. Denn da ist, was ist, in

tumore sint. Ibi enim magis unum est quod est. *225*. Et si
tales sunt in ipsa motione vitali quae in seminibus operatur,
magis ibi mirandi sunt quam in corpore. Si enim numeri
seminum sicut ipsa semina tumerent, de dimidio grano fici
arbor dimidia nasceretur, neque de animalium seminibus
etiam non totis animalia tota et integra gignerentur, neque
tantillum et unum semen vim haberet sui cuiusque generis
innumerabilem. *226*. De uno quippe possunt secundum
suam naturam vel segetes segetum vel silvae silvarum vel
greges gregum vel populi populorum per saecula propagari,
ut nullum folium sit vel nullus pilus per tam numerosam
successionem, cuius non ratio in illo primo et uno semine
fuerit. Deinde illud cogitandum est quam numerosas, quam
suaves sonorum pulchritudines verberatus aer traiciat can-
tante luscinia, quas illius aviculae anima non cum liberet
fabricaretur nisi vitali motu incorporaliter haberet inpressas.
227. Hoc et in ceteris animantibus, quae ratione carentia
sensu tamen non carent, animadverti potest. Nullum enim
horum est quod non vel in sono vocis vel in cetero motu
atque operatione membrorum numerosum aliquid et in suo
genere moderatum gerat, non aliqua scientia, sed tamen
intimis naturae terminis ab illa incommutabili numerorum
lege modulatis.

[XLIII.80] *228*. Redeamus ad nos et omittamus ea quae cum
arbustis et bestiis habemus communia. Uno modo namque
hirundo nidificat et unum quodque avium genus uno aliquo

höherem Maße eins, *225.* und wenn solche Zahlen sich auch im Lebenstriebe, der im Samen wirksam ist, nachweisen lassen, muß man sie da noch mehr bewundern als im Körper.[134] Denn wenn die Zahlen im Samen sich ebenso aufblähten wie der Same selbst, müßte aus einem halben Feigenkern nur ein halber Baum erwachsen, könnten auch aus unvollständigen Samen von Tieren keine heilen und ganzen Tiere hervorgehen, hätte auch ein einzig winziges Sämlein nicht die Kraft, die Art, zu der es gehört, unzählbar zu vermehren. *226.* Denn aus bloß einem Samen läßt die Natur in Jahrhunderten Saaten ohne Zahl, Wälder, Herden, Völker ohne Zahl entstehen, und zwar auf die Weise, daß es kein Blatt und auch kein Haar in der ganzen gewaltigen Reihe der Generationen gibt, dessen Form nicht in jenem ersten und einzigen Samen vorausbestimmt wäre. Ferner möge man auch bedenken, welch liebliche, rhythmisch bewegte Schönheit beim Gesang der Nachtigall durch die schwingende Luft getragen wird, eine Schönheit, welche die Seele des Vögleins gewiß nicht nach Belieben gestaltete, wäre sie ihr nicht mit der Lebensregung unkörperlich eingeprägt. *227.* Dasselbe kann man auch bei anderen Lebewesen beobachten, denen zwar keine Vernunft, wohl aber Empfindung verliehen wurde. Es gibt keins, das nicht, sei es im Klang der Stimme, sei es in der Bewegung und Tätigkeit der Glieder, auf seine besondere Weise etwas von Zahl und Maß erkennen ließe. Das bleibt unbewußt, hält sich aber innerhalb der geheimen Grenzen der Natur, die von jenem unwandelbaren Gesetz der Zahlen beherrscht werden.

[XLIII.80] *Vom menschlichen Urteilsvermögen*
und seinem ewigen Maßstab

228. Kehren wir zu uns selbst zurück und lassen beiseite, was uns mit Pflanzen und Tieren gemeinsam ist. Denn die Schwalbe baut ihr Nest nur auf eine Weise und jede Vogelart

suo modo. Quid est ergo in nobis, quo et de illis omnibus iudicamus – quas figuras appetant et quatenus impleant –, et nos in aedificiis aliisque corporeis operibus tamquam domini omnium talium figurarum innumerabilia machinamur? *229.* Quid in nobis est quod intus intellegit has ipsas visibiles corporum moles proportione magnas esse vel parvas, et omne corpus habere dimidium quantulumcumque sit, et si dimidium, innumerabiles partes; itaque omne granum milii suae parti tantae, quantum in hoc mundo nostrum corpus tenet, tam magnum esse quam mundus est nobis; totumque istum mundum figurarum ratione pulchrum esse, non mole, magnum autem videri non pro sua quantitate sed pro brevitate nostra, id est animalium quibus plenus est; quae rursus cum habeant infinitatem divisionis non ipsa per se, sed in aliorum et maxime ipsius universi comparatione tam parva sunt? *230.* Nec in spatio temporum alia ratio est, quia ut omnis loci sic omnis temporis longitudo habet dimidium sui; quamvis enim sit brevissima, et incipit et progreditur et desinit. Itaque non potest nisi habere dimidium, dum ibi dividitur qua transit ad finem. Ac per hoc et brevis syllabae tempus in comparatione longioris breve et hora brumalis aestivae horae comparata minor est. *231.* Sic mora omnis horae ad diem et diei ad mensem et mensis ad annum et anni ad lustrum et lustri ad maiores circuitus et ipsi ad universum tempus relati breves sunt, cum illa ipsa numerosa successio et quaedam gradatio sive localium sive temporalium spatiorum non tumore vel mora, sed ordinata convenientia

das ihre auf besondere Weise. Was ist das also in uns, das uns befähigt, über all dieses zu urteilen und festzustellen, nach welchen Formen gestrebt wird und wieweit sie erreicht werden? Wie bringen wir selber, wenn wir Bauten errichten oder andere körperliche Werke ausführen, die zahllosen Gebilde zustande, als wären wir Herren über all diese Formen? 229. Was ist es, was uns innerlich einsehen läßt, daß die sichtbaren Körper im Verhältnis von groß und klein zueinander stehen, daß jeder Körper, sei er auch noch so klein, eine Hälfte hat, und wenn eine Hälfte, dann auch unzählige Teile, daß also jedes Hirsekorn einem seiner Teilchen, das in ihm soviel Platz einnimmt wie unser Leib in dieser Welt, so groß erscheinen muß wie uns die Welt? Ferner, daß diese ganze Welt auf Grund ihrer Formen, nicht ihrer Masse schön ist, daß sie uns aber groß erscheint nicht zufolge ihrer Weite und Breite, sondern unserer Kleinheit, nämlich der Kleinheit der Lebewesen, die sie erfüllen, welche hinwiederum, da sie unbegrenzt teilbar sind, nicht an sich, sondern nur im Vergleich mit anderen, zumal dem Weltall, selber so klein sind? 230. Mit der Ausdehnung der Zeiten aber verhält sich's ebenso. Denn wie die Länge jeder Strecke, hat auch die jeder Zeit ihre Hälfte. Sei sie auch noch so kurz, sie beginnt, schreitet fort und hört auf. Sie muß daher eine Hälfte haben, wenn man sie da teilt, wo sie zum Ende übergeht. Darum ist die Zeit, die eine kurze Silbe braucht, nur im Vergleich mit einer längeren kurz und eine Stunde im Winter nur verglichen mit einer Sommerstunde kürzer.[135] 231. Ebenso ist die Zeitdauer jeder Stunde neben der eines Tages, eines Tages neben einem Monat, eines Monats neben einem Jahr, eines Jahres neben einem Jahrfünft, eines Jahrfünfts neben größeren Perioden, und auch diese neben der Zeit in ihrem Gesamtverlauf kurz. Aber diese ganze nach Zahlen bemessene Aufeinanderfolge, diese Abstufung räumlicher oder zeitlicher Unterschiede, sie wird nicht auf Grund von Entfernung oder Dauer, sondern nur auf Grund geordneter Übereinstimmung als schön beurteilt.

pulchra iudicetur. [81] 232. Ipse autem ordinis modus vivit in veritate perpetua, nec mole vastus nec protractione volubilis, sed potentia supra omnes locos magnus, aeternitate super omnia tempora immobilis. Sine quo tamen nec ullius molis vastitas in unum redigi nec ullius temporis productio potest ab errore cohiberi et aliquid esse corpus ut corpus sit vel motus ut motus sit. Ipsum est unum principale, nec per finitum nec per infinitum crassum nec per finitum nec per infinitum mutabile. 233. Non enim habet aliud hic aliud alibi aut aliud nunc aliud postea, quia summe unus est pater veritatis, pater suae sapientiae, quae nulla ex parte dissimilis similitudo eius dicta est et imago, quia de ipso est. Itaque etiam filius recte dicitur ex ipso, cetera per ipsum. Processit enim forma omnium summe implens unum de quo est, ut cetera quae sunt, in quantum sunt uni similia, per eam formam fierent.

[XLIV.82] 234. Horum alia sic sunt per ipsam ut ad ipsam etiam sint, ut omnis rationalis et intellectualis creatura, in qua homo rectissime dicitur factus ad imaginem et similitudinem dei; non enim aliter incommutabilem veritatem posset mente conspicere. Alia vero ita sunt per ipsam facta ut non sint ad ipsam. 235. Et ideo rationalis anima si creatori serviat a quo facta est et per quem facta est et ad quem facta est, cuncta ei cetera servient: et vita ultima, quae tam vicina illi est et est adiutorium eius per quod imperat corpori, et ipsum

[81] *232.* Das Ordnungsmaß selber[136] jedoch lebt in immer-
während Wahrheit und ist weder durch Masse ausgedehnt
noch durch Ablauf flüchtig, sondern groß durch seine
Macht über allen Räumen und unbeweglich durch seine
Ewigkeit über allen Zeiten. Aber ohne es könnte weder die
Ausgedehntheit irgendeiner Masse zur Einheit gelangen,
noch der Ablauf irgendwelcher Zeit ohne Irrtum erfaßt
werden, ja ohne es gäbe es weder Körper noch Bewegung.
Selbst aber ist es das ursprünglich Eine,[137] weder begrenzt
noch unbegrenzt raumfüllend, weder begrenzt noch unbegrenzt wandelbar. *233.* Es kennt ja nicht den Unterschied
von hier und dort oder von jetzt und später. Denn zuhöchst
einer ist der Vater der Wahrheit, der Vater seiner Weisheit,
die ihm nicht im geringsten ungleich ist und die darum sein
Gleichnis und Bildnis heißt, weil sie von ihm ist. Sie ist der
Sohn, von dem mit Recht gesagt wird, er sei aus ihm,
während alles übrige durch ihn ist. Denn vorausgegangen ist
die Form aller Dinge, die das Eine, von dem sie stammt,
vollendet wiedergibt, auf daß alles übrige, was ist, soweit es
dem Einen ähnlich ist, durch diese Form entstehe.

[XLIV.82] *Die Seele für Gott, der Leib für*
die Seele

234. Das übrige ist nun zum Teil durch die genannte Form
so geschaffen, daß es auch zu ihr hinstrebt. Das gilt von
jeder vernünftigen und geistigen Kreatur,[138] weswegen mit
Recht vom Menschen gesagt wird, daß er nach Gottes Bild
und Gleichnis geschaffen sei. Denn sonst könnte er mit
seinem Geiste die unwandelbare Wahrheit nicht erblicken.
Teilweise ist es aber auch so durch sie geschaffen, daß es
nicht zu ihr hinstrebt. *235.* Wenn also die vernünftige Seele
ihrem Schöpfer dient, von dem, durch den und zu dem sie
geschaffen ist, wird alles übrige ihr dienen, sowohl das
niedere Leben, das ihr so nahesteht und behilflich ist, den

corpus, extrema natura et essentia, cui omni modo cedenti ad arbitrium dominabitur, nullam de illo sentiens molestiam, quia iam non ex illo nec per illud quaeret beatitudinem, sed ex deo per se ipsam percipiet. 236. Reformatum ergo corpus ac sanctificatum sine detrimento corruptionis et sine onere difficultatis administrabit. »In resurrectione enim neque nubunt neque nubuntur, sed erunt sicut angeli in caelis.« »Esca« vero »ventri, et venter escis; deus autem et hunc et illas destruet.« Quoniam »non est regnum dei esca et potus, sed iustitia et pax et gaudium«.

[XLV.83] 237. Quapropter etiam in ista corporis voluptate invenimus unde commemoremur eam contemnere, non quia malum est natura corporis, sed quia in extremi boni dilectione turpiter volutatur, cui primis inhaerere fruique concessum est. Cum trahitur auriga et suae temeritatis dat poenas, quidquid illud est quo utebatur accusat. 238. Sed imploret auxilium, iubeat dominus rerum obsistatur equis – alia iam spectacula de illius praecipitatione facientibus et nisi subveniatur de morte facturis –, restituatur in locum, super rotas collocetur, habenarum iura reddantur, regat cautius obtemperantes et edomitas bestias; tunc sentiet quam bene

Körper zu lenken, als auch der Körper selbst, die niedrigste Natur und Wesenheit.[139] Wenn dieser nur in jedem Falle nachgibt und sich gefällig beherrschen läßt, wird er ihr keine Beschwerde bereiten, da sie ja nicht von ihm und durch ihn die Seligkeit sucht, sondern sie von Gott und durch sich selbst empfängt. *236.* Vielmehr wird sie den wiederherge- stellten und geheiligten Leib beherrschen, ohne hinfort durch seine Vergänglichkeit Schaden zu leiden oder von ihm belästigt oder behindert zu werden. Denn »in der Auferste- hung werden sie weder freien noch sich freien lassen, son- dern sein gleich wie die Engel des Himmels«.[140] Und »die Speise ist für den Bauch und der Bauch für die Speise, Gott aber wird diesen und jene zunichte machen«.[141] Denn »das Reich Gottes ist nicht Essen und Trinken, sondern Gerech- tigkeit und Friede und Freude«.[142]

[XLV.83]   *Menschliche Schwächen und Fehler können*
          trotz Verzerrung an Göttliches erinnern

237. Prüfen wir die leiblichen Genüsse, so können wir auch in ihnen etwas finden, das uns mahnt, sie zu verschmähen. Nicht als wäre der Leib von Natur schlecht, sondern weil es eine Schande ist, in der Liebe zum niedrigsten Gut zu schwelgen, wenn man den höchsten Gütern anhangen und sie genießen könnte. Wenn der Wagenlenker geschleift wird und so für seine Verwegenheit büßen muß, pflegt er wohl auf das benutzte Fahrgerät zu schelten. *238.* Er sollte lieber um Hilfe rufen, und der Leiter der Rennbahn würde Befehl geben, die Pferde aufzuhalten. Sonst werden sie, falls nie- mand zum Beistand heraneilt, nach dem Schauspiel seines Sturzes noch das andere seines Todes darbieten. Nein, er lasse sich wieder auf seinen Platz, das Trittbrett über den Rädern, stellen, sich das Regiment der Zügel wiedergeben und lenke fortan mit größerer Vorsicht die gebändigten und gehorsamen Tiere. Dann wird er merken, wie gut der Wagen

currus et tota illa iunctio fabricata sit, quae ruina eius et ipsum affligebat et cursum decentissimae moderationis amiserat, quia et huic corpori imbecillitatem peperit animae male utentis aviditas in paradiso, usurpans vetitum cibum contra medici disciplinam, qua sempiterna continetur salus. [84] *239.* Si ergo in ista ipsa visibilis carnis imbecillitate, ubi beata vita esse non potest, invenitur admonitio beatae vitae propter speciem de summo usque ad ima venientem, quanto magis in appetitione nobilitatis et excellentiae et in omni superbia vanaque pompa huius mundi? Quid enim aliud in ea homo appetit nisi solus esse, si fieri possit, cui cuncta subiecta sint, perversa scilicet imitatione omnipotentis dei? *240.* Quem si subditus imitaretur secundum eius praecepta vivendo, per eum haberet subdita cetera nec ad tantam deformitatem veniret ut bestiolam timeat, qui vult hominibus imperare. Habet ergo et superbia quendam appetitum unitatis et omnipotentiae, sed in rerum temporalium principatu, quae omnia transeunt tamquam umbra. [85] *241.* Invicti esse volumus et recte; habet hoc enim animi nostri natura post deum a quo ad eius imaginem factus est; sed eius erant praecepta servanda, quibus servatis nemo nos vinceret. Nunc vero dum ipsa cuius verbis turpiter consensimus domatur dolore pariendi, et nos in terra laboramus et cum magno dedecore superamur ab omnibus quae nos commovere ac perturbare potuerint. Itaque nolumus ab hominibus vinci, et iram non possumus vincere. *242.* Qua turpitudine quid execrabilius dici potest? Fatemur hominem hoc esse quod nos sumus, qui tametsi habeat vitia, non est

und das ganze Gespann eingerichtet war, das ihn nun infolge seines Sturzes selbst verletzte und den Wettlauf, der besonnene Zügelung forderte, verlieren ließ. Ebenso hat im Paradiese die Gier der Seele diesem Leibe, dessen sie sich übel bediente, Schwäche zugezogen, da sie gegen die Vorschrift des Arztes, welche ewige Gesundheit in Aussicht stellte, die verbotene Speise nahm. [84] 239. Wenn demnach sogar in dieser Schwäche des sichtbaren Fleisches, also da, wo von seligem Leben nicht die Rede sein kann, eine Erinnerung an das selige Leben sich auffinden läßt, da die Schönheit vom Höchsten bis zum Niedersten herabsteigt, gilt das erst recht vom Streben nach Vornehmheit und Auszeichnung, überhaupt von jedem Stolz und eitlen Prunk dieser Welt. Denn nichts anderes erstrebt der Mensch darin, als der einzige zu sein, dem womöglich alles unterworfen wäre, eine verkehrte Nachahmung des allmächtigen Gottes. 240. Würde er ihn in demütiger Unterwerfung nachahmen und nach seinen Geboten leben, so würde ihm durch Gottes Beistand alles übrige unterworfen sein und würde er nicht so weit entarten, daß er, der doch Menschen beherrschen will, vor kleinen Tieren Angst hat. Denn auch im Hochmut verbirgt sich ein gewisses Streben nach Einheit und Allmacht, das freilich im Bereich der zeitlichen Dinge bleibt, die sämtlich wie Schatten vergehen. [85] 241. Sieger wollen wir sein und das mit Recht. Denn der unbesiegliche Gott, der uns nach seinem Bilde geschaffen hat, hat das in die Natur unseres Geistes gelegt. Aber dann müßten wir seine Gebote erfüllen. Täten wir es, könnte uns niemand besiegen. Nun aber wird sie,[143] deren falschen Worten wir schimpflich folgten, durch Geburtsschmerzen heimgesucht, während wir uns auf der Erde abmühen und uns schmählich von allem, was irgend erregen und verwirren kann, überwältigen lassen. Von Menschen wollen wir uns nicht besiegen lassen und können den Zorn nicht besiegen! 242. Kann es etwas Kläglicheres geben als diese Schmach? Ein Mensch ist doch dasselbe wie wir, und wenn er auch lasterhaft sein mag, ist er doch nicht selbst

tamen ipse vitium. Quanto igitur honestius homo nos vincit quam vitium? Quis autem dubitet immane vitium esse invidentiam, qua necesse est torqueatur et subiciatur qui non vult in rebus temporalibus vinci? Melius est ergo ut homo nos vincat quam invidentia vel quodlibet aliud vitium.

[XLVI.86] *243*. Sed nec ab homine vinci potest qui vitia sua vicerit. Non enim vincitur nisi cui eripitur ab adversario quod amat. Qui ergo id amat solum quod amanti eripi non potest, ille indubitanter invictus est nec ulla cruciatur invidia. Id enim diligit ad quod diligendum et percipiendum quanto plures venerint, tanto eis uberius gratulatur. Diligit enim deum ex toto corde et ex tota anima et ex tota mente, et diligit proximum tamquam se ipsum. *244*. Non illi ergo invidet, ut sit quod ipse est, immo adiuvat etiam quantum potest. Nec potest amittere proximum quem diligit tamquam se ipsum, quia neque in se ipso ea diligit quae oculis subiacent aut ullis aliis corporis sensibus. Ergo apud se ipsum habet quem diligit tamquam se ipsum. [87] *245*. Ea est autem regula dilectionis, ut quae sibi vult bona provenire, et illi velit, quae accidere sibi mala non vult, et illi nolit. Hanc voluntatem erga omnes homines servat. Nam erga neminem operandum est malum, et »dilectio proximi malum non operatur«. Diligamus ergo, ut praeceptum est, etiam inimicos nostros, si vere invicti esse volumus. Non enim per se

das Laster. Weit ehrenhafter wäre es daher, wenn ein Mensch uns besiegte statt eines Lasters. Wer aber zweifelt daran, daß der Neid ein grausames Laster ist, das notwendigerweise gerade den quält und unterjocht, der sich in zeitlichen Angelegenheiten nicht besiegen lassen will? Darum ist es immer noch besser, wenn ein Mensch uns besiegt, als Neid oder irgendein anderes Laster.

[XLVI.86]   *Unbesieglich, wer liebt, was nicht*
entrissen werden kann

243. Doch auch von keinem Menschen kann besiegt werden, wer seine Laster besiegt hat. Denn er wird nicht besiegt, wenn der Gegner ihm nicht entreißt, was er liebt. Wer also nur das liebt, was dem Liebenden nicht entrissen werden kann, der ist ohne Zweifel unbesieglich, auch quält ihn keinerlei Neidgefühl. Denn je mehr hinzukommen, zu lieben und sich zu eigen zu machen, was er liebt, um so freudiger beglückwünscht er sie. Er liebt ja Gott von ganzem Herzen, von ganzer Seele und von ganzem Gemüte und seinen Nächsten wie sich selbst.[144] 244. So kann er diesem auch nicht mißgönnen, zu sein, was er selbst ist; er verhilft ihm vielmehr nach Kräften dazu. Auch verlieren kann er den Nächsten nicht, den er wie sich selber liebt, liebt er doch auch an sich selber nicht, was den Augen oder irgendwelchen anderen leiblichen Sinnen wahrnehmbar ist. So behält er den, welchen er wie sich selbst liebt, stets bei sich. [87] 245. Das aber ist die Liebesregel: Das Gute, das man sich wünscht, soll man auch dem anderen wünschen, und das Böse, das man von sich fernhalten möchte, soll man auch vom Nächsten fernzuhalten suchen. Dies Wohlwollen soll man gegen alle Menschen hegen. Denn niemandem darf man Böses tun. »Die Liebe aber tut dem Nächsten nichts Böses.«[145] Nun so laßt uns, wie geboten ist, auch unsere Feinde lieben, wenn wir wahrhaft unbesieglich sein

ipsum quisquam hominum invictus est, sed per illam incommutabilem legem cui quicumque serviunt soli sunt liberi. *246.* Sic enim eis quod diligunt auferri non potest, quae res una invictos facit et perfectos viros. Nam si vel ipsum hominem homo dilexerit non tamquam se ipsum, sed tamquam iumentum aut balneas aut aviculam pictam aut garrulam, id est, ut ex eo aliquid temporalis voluptatis aut commodi capiat, serviat necesse est non homini sed quod est turpius tam foedo et detestabili vitio, quo non amat hominem sicut homo amandus est. Quo vitio dominante usque ad extremam vitam vel potius mortem perducitur.

[88] *247.* Sed nec sic quidem ab homine homo diligendus est ut diliguntur carnales fratres vel filii vel coniuges vel quique cognati aut adfines aut cives. Nam et ista dilectio temporalis est. Non enim ullas tales necessitudines haberemus quae nascendo et moriendo contingunt, si natura nostra, in praeceptis et in imagine dei manens, in istam corruptionem non relegaretur. Itaque ad pristinam perfectamque naturam nos ipsa veritas vocans praecipit ut carnali consuetudini resistamus, docens neminem aptum esse regno dei qui non istas carnales necessitudines oderit. *248.* Neque hoc cuiquam inhumanum videri decet. Magis enim est inhumanum non amare in homine quod homo est, sed amare quod filius est. Hoc est enim non in eo amare illud quod ad deum pertinet sed amare illud quod ad se pertinet. Quid ergo mirum si ad regnum non pervenit qui non communem sed privatam rem diligit? Immo utrumque, ait quispiam. Immo illud unum, dicit deus. *249.* Dicit enim verissime veritas: »Nemo potest

wollen. Denn an sich selber ist kein Mensch unbesieglich, aber er wird es durch jenes unwandelbare Gesetz, dessen Dienst allein jedermann frei macht. *246.* In diesem Dienst kann niemandem genommen werden, was er liebt, und das allein ist es, was Männer unbesieglich und vollkommen macht. Denn wenn jemand wohl einen Menschen liebt, aber nicht wie sich selber, sondern wie ein Stück Vieh oder Bäder oder ein buntes, zwitscherndes Vögelchen, also um davon zeitliches Vergnügen oder Vorteil zu haben, so steht er unweigerlich auch in einem Dienst, aber nicht im Dienst eines Menschen, sondern, was schimpflicher ist, eines häßlichen und abscheulichen Lasters, weil er einen Menschen nicht so liebt, wie es diesem gebührt. Unter der Herrschaft dieses Lasters sinkt man zum niedrigsten Leben, vielmehr zum Tode hinab.

[88] *247.* Aber auch so soll ein Mensch den Menschen nicht lieben, wie man leibliche Brüder liebt oder Söhne oder Gattinnen oder Verwandte, Verschwägerte oder Mitbürger. Denn da handelt sich's ebenfalls um zeitliche Liebe, und es gäbe solche Verwandtschaftsbeziehungen, die durch Geborenwerden und Sterben entstehen, überhaupt nicht, wenn unsere Menschennatur in den Schranken der Gebote geblieben wäre, das Ebenbild Gottes bewahrt und sich nicht das Verderben zugezogen hätte.[146] Daher ruft uns nun die Wahrheit selbst zur früheren und vollkommeneren Natur zurück, befiehlt uns, der fleischlichen Gewohnheit zu widerstehen, und belehrt uns, daß niemand geschickt ist zum Reiche Gottes, der nicht diese fleischlichen Bindungen haßt. *248.* Man darf das nicht für eine unmenschliche Forderung halten, denn es ist unmenschlich, am Menschen nicht zu lieben, daß er Mensch, sondern daß er Sohn ist.[147] Denn dann liebt man an ihm nicht, was zu Gott gehört, sondern was zu einem selbst gehört. Was Wunder also, wenn der nicht zum Reich gelangt, der statt des gemeinsamen nur das eigene Gut liebt? Wendet jemand ein: Ich liebe beides, so spricht Gott: Nein, nur das Eine! *249.* Sagt doch die Wahr-

duobus dominis servire.« Nemo enim potest perfecte diligere quo vocamur nisi oderit unde revocamur. Vocamur
autem ad perfectam naturam humanam, qualem ante peccatum nostrum deus fecit; revocamur autem ab eius dilectione
quam peccando meruimus. Quare oderimus oportet unde ut
liberemur optamus. [89] *250.* Oderimus ergo temporales
necessitudines, si aeternitatis caritate flagramus. Diligat
homo proximum tamquam se ipsum. Certe enim sibi ipse
nemo est pater aut filius aut adfinis aut aliquid huius modi,
sed tantum homo. Qui ergo diligit aliquem tamquam se
ipsum, hoc in eo diligere quod sibi ipse est. Corpora vero
non sunt quod nos sumus; non ergo in homine corpus est
expetendum aut desiderandum. Valet enim ad hoc etiam
quod praeceptum est: »Ne concupiscas rem proximi tui.«
251. Quapropter quisquis in proximo aliud diligit quam sibi
ipse est, non eum diligit tamquam se ipsum. Ipsa igitur
natura humana sine carnali condicione diligenda est, sive sit
perficienda sive perfecta. Omnes sub uno deo patre cognati
sunt qui eum diligunt et faciunt voluntatem ipsius, et invicem sibi sunt et patres cum sibi consulunt et filii cum sibi
obtemperant et fratres maxime, quia eos unus pater testa-
mento suo ad unam hereditatem vocat.

[XLVII.90] *252.* Quapropter cur iste non sit invictus hominem diligendo cum in eo nihil praeter hominem diligat,
id est creaturam dei ad eius imaginem factam, nec ei possit deesse perfecta natura quam diligit, cum ipse perfectus

heit selber wahrheitsgemäß: »Niemand kann zwei Herren dienen«,[148] denn niemand kann vollkommen das, wozu wir berufen werden, lieben, wenn er nicht das haßt, wovon wir abgerufen werden. Berufen werden wir zur vollkommenen menschlichen Natur, wie Gott sie vor unserem Sündenfall schuf, abgerufen dagegen von der Liebe zu der Natur, die wir der Sünde verdanken. So müssen wir das hassen, wovon wir befreit zu werden wünschen. [89] *250.* Laßt uns also die zeitlichen Bindungen hassen, wenn wir von Liebe zur Ewigkeit entbrannt sind. Der Mensch liebe seinen Nächsten wie sich selbst. Nun ist sich selbst niemand Vater oder Sohn oder Schwager oder etwas dergleichen, sondern bloß Mensch. Wer also jemanden wie sich selbst liebt, muß an ihm das lieben, was er sich selbst ist. Die Leiber aber sind nicht, was wir sind. Deshalb soll man an einem Menschen nicht den Leib begehren oder ersehnen. Denn auch hier gilt das Gebot: »Du sollst nicht begehren deines Nächsten Eigentum.«[149] *251.* Wer also an seinem Nächsten etwas anderes liebt, als was er sich selbst ist, liebt ihn nicht wie sich selbst. Darum soll man die menschliche Natur selber lieben, sei es die noch zu vollendende, sei es die schon vollendete, aber ohne ihre fleischliche Beschaffenheit. Denn alle, die Gott lieben und seinen Willen tun, stehen als Verwandte unter dem einen Vater-Gott. Gegenseitig aber sind sie sich Väter, wenn sie einander Rat geben, Söhne, wenn sie einander gehorchen, vor allem aber Brüder, weil sie der eine Vater durch sein Testament zu einem und demselben Erbe beruft.

[XLVII.90]   *Der unbesiegliche Mensch*

252. Wie sollte also nicht unbesieglich sein, wer an einem Menschen einzig und allein den Menschen liebt, das ist, die nach Gottes Ebenbild geschaffene Kreatur? Es ist die vollkommene Natur, die er liebt, und sie kann ihm nicht

est? Sicut enim verbi gratia si quisquam diligat bene cantantem non hunc aut illum, sed tantum bene cantantem quemlibet, cum sit cantator ipse perfectus, ita vult omnes tales esse, ut tamen non ei desit quod diligit, quia ipse bene cantat. 253. Nam si cuiquam invidet bene cantanti, non iam illud diligit, sed laudem aut aliquid aliud, quo bene cantando vult pervenire; et potest ei minui vel auferri si et alius bene cantaverit. Qui ergo invidet bene cantanti, non amat bene cantantem; sed rursus qui eo indiget non cantat bene. Quod multo accomodatius de bene vivente dici potest, quia et invidere nulli potest; quo enim perveniunt bene viventes, tantundem est omnibus nec minus fit cum plures habuerint. 254. Et potest esse tempus quo bonus cantator cantare non decenter queat et indigeat voce alterius qua sibi exhibeatur quod diligit, tamquam si alicubi convivetur ubi eum cantare turpe sit sed deceat audire cantantem. Bene vivere autem semper decet. Quare quisquis hoc et diligit et facit, non solum non invidet imitantibus, sed eis se praebet libentissime atque humanissime quantum potest, nec eis tamen indiget. Nam quod in illis diligit, in se ipse habet totum atque perfectum. 255. Ita cum diligat proximum tamquam se ipsum non invidet ei, quia nec sibi ipsi; praestat ei quod potest, quia et sibi ipsi; non eo indiget, quia nec se ipso. Tantum deo indiget, cui adhaerendo beatus est. Nemo autem illi eripit deum. Ille ergo verissime atque certissime invictus homo est qui cohaeret deo, non ut ab eo aliquid

verlorengehen, da es ja auch seine eigene ist.[150] Ebenso ist es
beispielsweise, wenn jemand einen guten Sänger liebt, nicht
diesen oder jenen, sondern eben nur den guten Sänger, falls
er selbst ein trefflicher Sänger ist. Denn dann möchte er
wohl lauter gute Sänger um sich sehen, aber ohne darum
besorgt zu sein, es könne ihm jemals fehlen, was er liebt, da
er ja selber schön singt. 253. Wenn aber jemand einen guten
Sänger beneidet, liebt er nicht so sehr den Gesang, sondern
vielleicht den Ruhm oder sonst etwas, das er durch schönes
Singen erlangen möchte, und das vermindert werden oder
ihm abhanden kommen könnte, wenn auch ein anderer gut
sänge. Wer also einen guten Sänger beneidet, liebt den guten
Sänger nicht; wer ihn dagegen vermißt, kann selbst nicht gut
singen. Das gilt noch in weit höherem Grade von einem,
welcher gut lebt, weil ein solcher überhaupt niemanden
beneiden kann. Denn was man durch sein gutes Leben
erlangt, ist für alle das gleiche und wird nicht weniger, wenn
viele es haben. 254. Es mag ja wohl vorkommen, daß ein
guter Sänger schicklicherweise nicht singen kann und daß er
dann die Stimme eines anderen herbeiwünscht, die ihm
bietet, was er liebt, so wenn er etwa an einem Gastmahl
teilnimmt, wo es für ihn unpassend wäre zu singen, während
er sehr wohl einem anderen Sänger zuhören kann. Aber gut
zu leben, schickt sich immer. Wer also dies liebt und sich
entsprechend verhält, der beneidet seine Nachahmer nicht
nur nicht, sondern bietet sich ihnen nach bestem Vermögen
von Herzen gern und gütig zur Nachahmung dar, ohne
jedoch ihrer zu bedürfen. Denn was er an ihnen liebt, besitzt
er selber in vollkommenem Maße. 255. Wenn er also seinen
Nächsten wie sich selbst liebt, beneidet er ihn so wenig wie
sich selber. Er gewährt ihm, was er kann, weil er es auch sich
selbst gewährt. Aber er bedarf seiner nicht, weil er auch
seiner selbst nicht bedürftig ist. Nur Gottes ist er bedürftig
und hängt ihm an, um glückselig zu sein. Niemand aber
kann ihm Gott entreißen. Das also ist in vollster Wahrheit
und Gewißheit der unbesiegliche Mensch, der an Gott

boni extra mereatur, sed cui nihil aliud quam ipsum haerere deo bonum est.

[91] *256.* Hic vir quamdiu est in hac vita utitur amico ad rependendam gratiam, utitur inimico ad patientiam, utitur quibus potest ad beneficientiam, utitur omnibus ad benevolentiam. Et quamquam temporalia non diligat, ipse recte utitur temporalibus et pro eorum sorte hominibus consulit, si aequaliter non potest omnibus. Quare si aliquem familiarium suorum promptius quam quemlibet alloquitur, non eum magis diligit, sed ad eum habet maiorem fiduciam et apertioris temporis ianuam. Tractat enim tempori deditos tanto melius quanto ipse minus obligatus est tempore. *257.* Cum itaque omnibus quos pariter diligit prodesse non possit, nisi coniunctioribus prodesse malit iniustus est. Animi autem coniunctio maior est quam locorum aut temporum quibus in hoc corpore gignimur; sed ea maxima est quae omnibus praevalet. Non ergo iste affligitur morte cuiusquam, quoniam qui toto animo deum diligit, novit nec sibi perire quod deo non perit; deus autem dominus est et vivorum et mortuorum. *258.* Non cuiusquam miseria miser est, quia nec cuiusquam iniustitia fit iniustus. Et ut nemo illi iustitiam et deum, sic nemo aufert beatitudinem. Et si quando forte alicuius periculo vel errore vel dolore commovetur, usque ad illius auxilium aut correctionem aut consolationem, non usque ad suam subversionem valere patitur. [92] *259.* In omnibus autem officiosis laboribus futurae quietis certa expectatione non frangitur. Quid enim ei noce-

hängt, nicht weil er von ihm ein anderes Gut erwartet, sondern weil er kein anderes Gut kennt als eben dies Hangen an Gott.

[91] 256. Solange solch ein Mann auf Erden lebt, braucht er den Freund, um Gunst zu erweisen, braucht er den Feind, um Geduld zu üben, braucht er möglichst viele, um Wohltätigkeit, braucht er alle, um Wohlwollen zu zeigen. Und obwohl er das Zeitliche nicht liebt, braucht er selbst es doch recht und berät die Mitmenschen in ihren irdischen Lebenslagen, wenn ihm das auch nicht bei allen in gleicher Weise möglich ist. Wenn er also einen, der ihm nahesteht, häufiger freundlich anspricht als einen Fremden, tut er es nicht darum, weil er ihn mehr liebt, sondern weil er zu ihm größeres Vertrauen und zur Zeit eine offene Tür hat. Doch geht er mit denen, die noch der Zeit hörig sind, um so besser um, je weniger er selbst der Zeit verhaftet ist. 257. Da er nun einmal nicht allen, die er doch in gleicher Weise liebt, nützen kann, wäre es unrecht, wollte er nicht denen nützen, die ihm näher verbunden sind. Aber die Verbindung der Herzen ist stärker als die von Ort und Zeit, in die wir durch unsere leibliche Geburt hineingestellt werden, ja es ist die stärkste, die allem anderen überlegen ist. Wo sie besteht, wird keiner durch den Tod eines anderen schwer getroffen, denn wer Gott von ganzem Herzen liebt, weiß, daß auch ihm nicht verlorengehen kann, was Gott nicht verlorengeht, da Gott der Herr der Lebenden und der Toten ist. 258. Keines Menschen Elend macht ihn elend, da ja auch keines anderen Ungerechtigkeit ihn ungerecht macht. Und wie ihm niemand die Gerechtigkeit und Gott wegnehmen kann, so auch niemand die Glückseligkeit. Und wenn er auch einmal durch Gefahr, Irrtum oder Schmerz eines anderen bewegt werden mag, so läßt er sich dadurch nur zu dessen Hilfe, Besserung oder Tröstung anregen, ohne selbst seine Fassung zu verlieren. [92] 259. Bei aller Mühsal, die er pflichtgemäß auf sich nimmt, bleibt er in gewisser Erwartung der zukünftigen Ruhe ungebrochen. Denn was könnte dem schaden, der

bit qui bene uti etiam inimico potest? Eius enim praesidio
atque munimento inimicitias non pertimescit, cuius prae-
cepto et dono diligit inimicos. Huic viro in tribulationibus
parum est non contristari nisi etiam gaudeat, sciens »quod
tribulatio patientiam operatur, patientia probationem, pro-
batio spem, spes autem non confundit, quoniam caritas dei
diffusa est in cordibus nostris per spiritum sanctum, qui
datus est nobis«. 260. Quis huic nocebit? Quis hunc subiu-
gabit? Homo qui prosperis rebus proficit, asperis quid pro-
fecerit discit. Cum enim mutabilium bonorum adest copia,
non eis confidit, sed cum subtrahuntur agnoscit utrum eum
non ceperint, quia plerumque cum adsunt nobis putamus
quod non ea diligamus, sed cum abesse coeperint invenimus
qui simus. 261. Hoc enim sine amore nostro aderat quod
sine dolore discedit. Videtur ergo vincere cum vincatur, qui
superando ad id pervenit quod cum dolore amissurus est; et
vincit cum vinci videatur, quisquis cedendo ad id pervenit
quod non amittit invitus.

[XLVIII.93] 262. Quem delectat ergo libertas, ab amore
mutabilium rerum liber esse appetat; et quem regnare delectat, uni omnium regnatori deo subditus haereat, plus eum
diligendo quam se ipsum. Et haec est perfecta iustitia, qua
potius potiora et minus minora diligimus. Sapientem animam atque perfectam talem diligat qualem illam videt; stul-
tam non talem, sed quia esse perfecta et sapiens potest, quia

auch seinen Feind wohl zu nutzen weiß? Er fürchtet ja keine
Feindschaft unter dessen Schutz und Schirm, nach dessen
Gebot und mit dessen Hilfe er die Feinde liebt. Solch einem
Manne genügt es nicht, in Trübsalen nicht zu verzagen, er
freut sich ihrer vielmehr, denn er weiß, »daß Trübsal
Geduld bringt, Geduld aber bringt Erfahrung, Erfahrung
aber bringt Hoffnung, Hoffnung aber läßt nicht zuschanden
werden. Denn die Liebe Gottes ist ausgegossen in unser
Herz durch den Heiligen Geist, welcher uns gegeben ist.«[151]
260. Wer kann ihm schaden, wer ihn bezwingen? Ein
Mensch, der fortschreitet, wenn's ihm gut geht, erfährt,
wenn's ihm schlecht geht, wie weit er fortgeschritten ist.
Denn wenn ihm eine Fülle wandelbarer Güter zufällt, verläßt er sich nicht darauf, aber erst, wenn sie ihm entzogen
werden, merkt er, ob sie ihn nicht gefangengenommen
haben. Denn oft genug bilden wir uns ein, sie nicht zu
lieben, wenn wir sie besitzen, aber erst, wenn sie uns fehlen,
lernen wir uns selbst kennen. 261. Denn nur das besaßen wir
ohne Liebe, was wir ohne Schmerz verlieren. Zu siegen
scheint, aber in Wirklichkeit wird besiegt, wer siegreich
etwas gewinnt, was er nur mit Schmerzen wieder verliert.
Aber es siegt, wer scheinbar besiegt wird, wer in seiner
Niederlage erlangt, was er wider Willen nicht verlieren
kann.[152]

[XLVIII.93]   *Vom rechten Fortschritt*

262. Wen also die Freiheit erfreut, der strebt danach, von
der Liebe zu den wandelbaren Dingen frei zu sein, und wen
es freut zu herrschen, der unterwerfe sich Gott und hange
ihm an, dem einen Herrscher über alles, und liebe ihn mehr
als sich selbst. Das ist ja die vollkommene Gerechtigkeit,
das Höhere höher, das Geringere geringer zu lieben. Eine
weise und vollkommene Seele liebe er so, wie sie ihm vor
Augen steht, eine törichte aber nicht so, sondern weil

nec se ipsum debet stultum diligere. Nam qui se diligit stultum, non proficiet ad sapientiam; nec fiet quisque qualis cupit esse nisi se oderit qualis est. *263.* Sed donec ad sapientiam perfectionemque veniatur, eo animo ferat stultitiam proximi quo suam ferret, si stultus esset et amaret sapientiam. Quapropter si et ipsa superbia verae libertatis et veri regni umbra est, etiam per ipsam nos commemorat divina providentia quid significemus vitiosi et quo debeamus redire correcti.

[XLIX.94] *264.* Iam vero cuncta spectacula et omnis illa quae appellatur curiositas, quid aliud quaerit quam de rerum cognitione laetitiam? Quid ergo admirabilius, quid speciosius ipsa veritate, ad quam spectator omnis pervenire se cupere confitetur, cum vehementer ne fallatur invigilat, et inde se iactat si aliquid acutius ceteris et vivacius in spectando cognoscat et iudicet? *265.* Ipsum denique praestigiatorem nihil aliud quam fallaciam profitentem diligenter intuentur et cautissime observant, et si eluduntur, quia sua non possunt, illius delectantur scientia qui eos eludit. Nam si et ille nesciret quibus causis fallantur intuentes vel nescire crederetur, pariter erranti nullus plauderet. *266.* Si quis autem de populo unus eum deprehenderit, maiorem illo laudem se mereri putat, non ob aliud nisi quia decipi fallique

auch sie vollkommen und weise sein kann. Denn auch sich selbst darf er nicht als Toren lieben. Wer sich nämlich als Toren liebt, wird nicht zur Weisheit fortschreiten. Er wird nicht werden, was er sein möchte, wenn er nicht haßt, was er ist. 263. Doch bis unser Nächster zur Weisheit und Vollkommenheit gelangt, muß man seine Torheit mit der Nachsicht ertragen, mit der man die eigene ertragen würde, wenn man töricht wäre, aber die Weisheit liebte. Wenn darum sogar der Hochmut ein Schattenbild der wahren Freiheit und Herrschaft ist, so erinnert uns auch durch ihn die göttliche Vorsehung daran, worauf auch ein Lasterhafter noch hinweist und wohin er zurückkehren muß, wenn er sich bessert.

[XLIX.94]   *Gaukelei und Wahrheit*

264. Was bezwecken ferner sämtliche Schau- und Gaukel-spiele und all das, was man Neugierde nennt, anderes als die Freude am Erkennen des wahren Sachverhalts? Was ist auch bewunderns- und schauwürdiger als die Wahrheit selbst, die jeder Zuschauer ausfindig machen zu wollen behauptet, wenn er ängstlich vor Täuschung sich hütet und sich brüstet, falls er scharfsinniger und schneller als die anderen dahinter-kommt und richtig erfaßt, was gespielt wird? 265. Darum pflegt man den Gaukler, dessen Profession ja keine andere als Täuschung ist, sorgfältig und genauestens zu beobachten. Und wenn man trotzdem angeführt wird, weil der eigene Scharfsinn nicht ausreicht, freut man sich an dem Scharfsinn dessen, der den Betrug fertiggebracht hat. Denn wüßte er selber nicht, wodurch die Täuschung der Zuschauer bewirkt wird, oder meinte man, er wisse es nicht, würde dem wie allen anderen Unwissenden niemand Beifall klatschen. 266. Wenn aber ein einzelner aus der Menge den Taschen-spieler bei seinem Trick ertappt, meint er höheren Ruhm als dieser zu verdienen, und zwar nur deshalb, weil er von ihm

160 De vera religione [XLIX.95] 267–[XLIX.96] 269

non potuit. Si autem multis apertus sit, non ille laudatur, sed inridentur ceteri qui talia deprehendere nequeunt. Ita omnis palma cogitationi datur et artificio et comprehensioni veritatis. Ad quam nullo modo perveniunt qui foris eam quaerunt. [95] 267. Itaque in tantas nugas et turpitudines mersi sumus ut, cum interrogati quid sit melius, verum an falsum, uno ore respondeamus verum esse melius, iocis et ludis tamen, ubi nos utique non vera sed ficta delectant, multo propensius quam praeceptis ipsius veritatis haereamus. Ita nostro iudicio et ore punimur, aliud ratione approbantes, aliud vanitate sectantes. 268. Tamdiu autem est ludicrum et ioculare aliquid quamdiu novimus in cuius veri comparatione rideatur. Sed diligendo talia excidimus a vero et non iam invenimus quarum rerum imitamenta sint, quibus tamquam primis pulchris inhiamus, et ab eis recedentes amplexamur nostra phantasmata. Nam redeuntibus nobis ad investigandam veritatem ipsa in itinere occurrunt et nos transire non sinunt, nullis viribus sed magnis insidiis latrocinantia non intellegentibus quam late pateat quod dictum est: »Cavete a simulacris.« [96] 269. Itaque alii per innumerabiles mundos vaga cogitatione volutati sunt, alii deum esse non posse nisi corpus igneum putaverunt, alii candorem lucis immensae per infinita spatia usquequaque porrectum, ex una tamen parte quasi nigro quodam cuneo fissum, duo adversa regna opinantes, et talia rebus constituentes principia cum suis phan-

nicht getäuscht und genarrt werden konnte. Werden dessen Künste aber von vielen durchschaut, lobt man ihn nicht, sondern lacht die übrigen aus, die nichts begreifen können. So reicht man die Palme allemal der Erkenntnis, wie sie sich sowohl beim Kunststück als auch bei der Aufdeckung der Wahrheit betätigt. Zu ihr selber gelangt jedoch nie und nimmer, wer sie draußen sucht.[153] [95] *267.* Wie tief sind wir doch in Possen und Narreteien versunken! Wenn jemand uns fragt, was besser ist, wahr oder falsch, antworten wir aus einem Munde, das Wahre. Dennoch hängen wir begieriger an Späßen und Tändeleien, bei denen uns nicht die Wahrheit, sondern die Täuschung Vergnügen macht, als an den Vorschriften der Wahrheit selbst. So werden wir nach dem Urteilsspruch des eigenen Mundes gestraft, da wir mit unserer Vernunft das eine billigen, aber in unserer Unvernunft dem anderen nachlaufen. *268.* Doch ist uns Kurzweil und Gaukelei nur so lange erheiternd, als wir sie mit der Wahrheit vergleichen, die dahintersteckt. Aber wenn wir derartiges lieben, entfernen wir uns aus dem Bereich des Wahren und begreifen bald nicht mehr, was dies alles nachahmen will und wonach wir als dem Ersten und Schönsten eigentlich dürsten, und von dem wir nun abirren, um die Ausgeburten unserer Phantasie zu umfangen. Und wenn wir auch endlich umkehren, die Wahrheit zu erforschen, treten sie uns wie Wegelagerer entgegen, zwar ohne Gewalt, aber mit um so größerer Tücke, und lassen uns nicht vorbei, da wir nicht einsehen, welch weiten Sinn das Schriftwort hat: »Hütet euch vor den Abgöttern.«[154] [96] *269.* So haben denn die einen in ihrem Irrwahn unzählige Welten durchschweift.[155] Andere bildeten sich ein, Gott könne nur ein körperliches Feuer sein.[156] Noch andere hielten ihn für einen durch unendliche Weiten überallhin sich ergießenden unermeßlichen Lichtglanz, der jedoch auf der einen Seite gleichsam durch einen finsteren Keil aufgerissen sei. Also vermuten sie, es gebe zwei einander entgegengesetzte Reiche, und bringen die phantastische Fabellehre von einem

tasmatis fabulati sunt. *270.* Quos si iurare cogam utrum haec vera esse sciant, fortasse non audeant sed vicissim dicant: ›Tu igitur ostende quid verum sit.‹ Quibus si nihil responderem, nisi ut illam lucem quaerant qua eis apparet et certum est aliud esse credere aliud intellegere, iurarent et ipsi nec oculis videri posse istam lucem nec cum aliqua locorum vastitate cogitari et nusquam non praesto esse quaerentibus et nihil ea certius atque serenius inveniri. [97] *271.* Quae rursus omnia quae de hac luce mentis nunc a me dicta sunt, nulla alia quam eadem luce manifesta sunt. Per hanc enim intellego vera esse quae dicta sunt, et haec me intellegere per hanc rursus intellego. Et hoc rursus et rursus cum quisque se aliquid intellegere intellegit, et id ipsum rursus intellegit, in infinitum pergere intellego. Et nulla hic esse spatia cuiusquam tumoris aut volubilitatis intellego; intellego etiam non me posse intellegere nisi vivam; et me vivaciorem intellegendo fieri certus intellego. *272.* Aeterna enim vita vitam temporalem vivacitate ipsa superat, nec quid sit aeternitas nisi intellegendo conspicio. Mentis quippe aspectu omnem mutabilitatem ab aeternitate seiungo, et in ipsa aeternitate nulla spatia temporis cerno, quia spatia temporis praeteritis et futuris rerum motibus constant. *273.* Nihil autem praeterit in aeterno et nihil futurum est, quia et quod praeterit esse desinit, et quod futurum est nondum esse coepit; aeternitas autem tantummodo est, nec fuit quasi iam non sit, nec erit quasi adhuc non sit. Quare sola ipsa verissime dicere potuit humanae menti: »Ego sum qui sum«; et de illa verissime dici potuit: »Misit me qui est.«

zwiespältigen Ursprung aller Dinge auf.[157] 270. Wenn ich sie
nötigte, zu beschwören, sie wüßten, daß dies wahr sei,
würden sie das vielleicht nicht wagen, aber mir ihrerseits
entgegenhalten: ›So zeige du uns, was wahr ist.‹ Wenn ich
ihnen dann bloß antwortete, sie möchten jenes Licht suchen,
das ihnen den Unterschied zwischen Glauben und Einsehen
deutlich und gewiß mache, würden auch sie schwören, daß
man dies nicht mit leiblichen Augen sehen, es auch nicht
räumlich ausgedehnt sich denken könne, daß es vielmehr den
Forschenden überall gegenwärtig und nichts heller und
gewisser sei als eben dies Licht.[158] [97] 271. Alles hinwiederum, was ich soeben von diesem Lichte gesagt habe, ist
einzig und allein durch eben dies Licht offenbar. Denn durch
dasselbe erkenne ich die Wahrheit des Gesagten, und auch
daß ich sie erkenne, erkenne ich wiederum durch es. Und so
immerfort; wenn jemand erkennt, daß er etwas erkennt, und
wiederum auch dies erkennt, und so weiter ins Unendliche, es
ist stets das gleiche. Und auch das erkenne ich, daß in diesem
Erkennen die Ausdehnung des Raumes und die Flüchtigkeit
der Zeit nichts zu bedeuten hat. Ferner erkenne ich, daß ich
nur erkennen kann, wenn ich lebe, und noch gewisser, daß
ich durch das Erkennen lebendiger werde. 272. Denn das
ewige Leben übertrifft das zeitliche auch an Lebendigkeit.
Auch was Ewigkeit ist, schaue ich nur durch Erkennen. Denn
in geistiger Anschauung sondere ich alle Wandelbarkeit von
der Ewigkeit ab und erblicke in ihr keine Zeiträume. Denn
alle Zeiträume entstehen durch vergangene und zukünftige
Bewegungen der Dinge. 273. Aber im Ewigen vergeht nichts
und ist nichts zukünftig. Denn was vergeht, hört auf zu sein,
und was zukünftig ist, hat noch nicht angefangen zu sein.
Von der Ewigkeit aber gilt, daß sie ausschließlich ist; da gibt
es kein »es war einmal« und kein »es wird sein«, als ob etwas
nicht mehr oder noch nicht wäre. Darum konnte nur sie in
vollster Wahrheit zum menschlichen Geiste sagen: »Ich bin,
der ich bin«, und konnte von ihr mit vollster Wahrheit gesagt
werden: »Der da ist, hat mich gesandt.«[159]

[L.98] 274. Cui si nondum possumus inhaerere, obiurgemus saltem nostra phantasmata et tam nugatorios et deceptorios ludos de spectaculo mentis eiciamus. Utamur gradibus quos nobis divina providentia fabricare dignata est. Cum enim figmentis ludicris nimium delectati evanesceremus in cogitationibus nostris et totam vitam in quaedam vana somnia verteremus, rationali creatura serviente legibus suis per sonos ac litteras ignem fumum nubem columnam quasi quaedam verba visibilia cum infantia nostra parabolis ac similitudinibus quodam modo ludere et interiores oculos nostros luto huiusce modi curare non aspernata est ineffabilis misericordia dei.

[99] 275. Distinguamus ergo quam fidem debeamus historiae, quam fidem debeamus intellegentiae, quid mandemus memoriae, verum esse nescientes sed credentes tamen, et ubi sit verum quod non venit et transit sed semper eodem modo manet, qui sit modus interpretandae allegoriae quae per sapientiam dicta creditur in spiritu sancto: utrum a visibilibus antiquioribus ad visibilia recentiora eam perducere sufficiat an usque ad animae affectiones atque naturam an usque ad incommutabilem aeternitatem; an aliae significent gesta visibilia, aliae motus animorum, aliae legem aeternitatis, an aliquae inveniantur in quibus haec omnia vestiganda sint; 276. et quae sit stabilis fides, sive historica et temporalis, sive spiritalis et aeterna, ad quam omnis interpretatio auctoritatis dirigenda est; et quid prosit ad intellegenda et obtinenda

274. Wenn wir ihr noch nicht anhangen können, wollen wir wenigstens unsere Wahngebilde schelten und die possenhaften und betrügerischen Spielereien vom Schauplatz des Geistes verjagen. Wir wollen uns der Stufen bedienen, die uns die göttliche Vorsehung freundlich zubereitet hat. Denn als wir, allzusehr von Phantasiebildern ergötzt, in unseren Gedanken eitel wurden und unser ganzes Leben sich wie ein nichtiger Traum abspielte, da hat Gottes unaussprechliche Barmherzigkeit, deren Gesetzen die vernünftige Kreatur dienstbar ist, es nicht verschmäht, durch Töne, Schriftzeichen, Feuer, Rauch, Wolke und Säule, also sozusagen durch sichtbare Worte, mit unserer Kindheit in Gleichnissen und Sinnbildern gleichsam zu spielen und so unsere inneren Augen durch aufgelegten Lehm zu heilen.[160]

[99] 275. Wir müssen also unterscheiden, welchen Glauben wir der Geschichte schulden und welchen der Einsicht, und was wir dem Gedächtnis anvertrauen müssen, obschon wir nicht wissen, wohl aber glauben, daß es wahr ist. Ferner, wo das Wahre ist, das nicht kommt und entschwindet, sondern immer und ebendort bleibt. Ferner, wie Allegorien auszulegen sind, die geistgewirkter Glaube als Aussprüche der Weisheit hinnimmt, ob es genügt, sie von den sichtbaren älteren auf sichtbare neuere Dinge zu übertragen,[161] oder ob man sie auf die Empfindungen und die Natur der Seele[162] oder auf das unwandelbar Ewige[163] beziehen soll; ob die einen auf sichtbare Handlungen, andere auf Gemütsbewegungen, noch andere auf das ewige Gesetz hindeuten; ob es schließlich auch solche gibt, bei denen man die Aufmerksamkeit auf dies alles richten muß. 276. Wir müssen auch fragen, welches der feststehende Glaube ist, sei es der geschichtliche und zeitliche, sei es der geistliche und ewige, auf den jede Auslegung von Gewicht abzielen muß. Sodann, inwiefern der Glaube an Geschichtstatsachen von Nutzen ist, das Ewige zu erkennen und festzuhalten, was doch der

aeterna ubi finis est omnium bonarum actionum, fides rerum
temporalium; et quid intersit inter allegoriam historiae et
allegoriam facti et allegoriam sermonis et allegoriam sacra-
menti; et ipsa locutio divinarum scripturarum secundum
cuius linguae proprietates accipienda sit – habet enim omnis
lingua sua quaedam propria genera locutionum quae cum in
aliam linguam transferuntur videntur absurda –, *277.* quid
prosit tanta loquendi humilitas ut non solum ira dei et
tristitia et a somno expergefactio et memoria et oblivio et alia
nonnulla quae in bonos homines cadere possunt, sed etiam
paenitentiae zeli crapulae nomina et alia huius modi in sacris
libris inveniantur; et utrum oculi dei et manus et pedes et alia
huius generis membra quae in scripturis nominantur ad
visibilem formam humani corporis referenda sint, an ad
significationes intellegibilium et spiritalium potentiarum,
sicut alae et scutum et gladius et cingulum et cetera talia;
278. et quod maxime quaerendum est, quid prosit generi
humano quod sic nobiscum per rationalem et genitalem et
corporalem creaturam sibi servientem divina providentia
locuta est. Quo uno cognito omnis ab animis protervitas
puerilis excluditur et introducitur sacrosancta religio.

[LI.100] *279.* Omissis igitur et repudiatis nugis theatricis et
poeticis divinarum scripturarum consideratione et tracta-
tione pascamus animum atque potemus vanae curiositatis
fame ac siti fessum et aestuantem et inanibus phantasmatis
tamquam pictis epulis frustra refici satiarique cupientem.

Endzweck alles Wohlverhaltens ist. Ferner, was für ein Unterschied besteht zwischen der Allegorie der Geschichte,[164] der der Taten,[165] der der Reden[166] und der der Sakramente.[167] Ferner, wie die Redeweise der göttlichen Schriften je nach der Besonderheit der einzelnen Sprachen zu verstehen ist. Hat doch jede Sprache ihre besonderen Redeweisen, die den Sinn zu verlieren scheinen, wenn man sie in eine andere Sprache überträgt. *277.* Wozu sodann, müssen wir fragen, jene tiefe Herablassung der Rede, wenn man in den heiligen Büchern nicht nur von Gottes Zorn und Trauer, seinem Erwachen vom Schlaf, seinem Sicherinnern und Vergessen und sonstigem, was auch frommen Menschen widerfahren kann, sondern auch von Reue, Eifersucht, Rausch und anderem derartigen liest? Müssen wir ferner die Augen Gottes, seine Hände und Füße sowie die sonstigen in der Schrift erwähnten Glieder auf die sichtbare Gestalt eines menschlichen Körpers beziehen, oder sind es nur Sinnbilder geistiger und geistlicher Kräfte, ebenso wie Flügel, Schild, Schwert, Gürtel und dergleichen? *278.* Vor allem aber ist zu fragen, was es dem Menschengeschlecht für Nutzen bringt, daß die göttliche Vorsehung so zu uns durch den Dienst der vernünftigen, sich fortpflanzenden und köperlichen Kreatur geredet hat. Hat man dies begriffen, wird alle kindische Dreistigkeit aus unserem Herzen vertrieben und der hochheiligen Religion Eingang verschafft.

[LI.100]   *Ermahnung*

279. So wollen wir denn die Albernheiten des Theaters und der Dichtungen beiseite tun und verschmähen und unseren Geist durch Betrachtung und Erforschung der göttlichen Schriften speisen und tränken. Hungernd und dürstend nach eitlen Neuigkeiten ward er matt und fiebrig und verlangte umsonst, sich an nichtigen Hirngespinsten wie an gemalten Speisen zu erquicken und zu sättigen. Nun wollen wir ihm

Hoc vere liberali et ingenuo ludo salubriter erudiamur. Si nos miracula spectaculorum et pulchritudo delectat, illam desideremus videre sapientiam quae pertendit »usque ad finem fortiter et disponit omnia suaviter«. Quid enim mirabilius vi incorporea mundum corporeum fabricante et administrante? aut quid pulchrius ordinante et ornante?

[LII.101] *280.* Si autem omnes fatemur per corpus ista sentiri et animum meliorem esse quam corpus, nihilne per se animus ipse conspiciet, aut quod conspiciet potest esse nisi multo excellentius longeque praestantius? Immo vero commemorati ab his quae iudicamus intueri quid sit secundum quod iudicamus, et ab operibus artium conversi ad legem artium eam speciem mente contuebimur, cuius comparatione foeda sunt quae ipsius benignitate sunt pulchra. »Invisibilia enim dei a creatura mundi per ea quae facta sunt intellecta conspiciuntur, et sempiterna eius virtus et divinitas.« *281.* Haec est a temporalibus ad aeterna regressio et ex vita veteris hominis in novum hominem reformatio. Quid est autem unde homo commemorari non possit ad virtutes capessendas, quando de ipsis vitiis potest? Quid enim appetit curiositas nisi cognitionem, quae certa esse non potest nisi rerum aeternarum et eodem modo se semper habentium? Quid appetit superbia nisi potentiam, quae refertur ad agendi facilitatem, quam non invenit anima perfecta nisi deo

die wahrhaft befreiende und edle Unterhaltung gönnen und
ihn dadurch heilsam belehren. Wenn wir an den Wunderge-
schichten der Schauspiele und am Genuß der Schönheit
unsere Freude hatten, wollen wir nun danach trachten, jene
Weisheit zu schauen, die »gewaltig von einem Ende bis zum
anderen reicht und alles lieblich ordnet«.[168] Denn was ist
wundervoller als die unkörperliche Kraft, die die körperliche Welt schafft und regiert? Oder was schöner als sie, die
alles ordnet und ziert?

[LII.101]   *Vom Niederen zum Höheren*

280. Wenn doch alle zugeben, daß jene Dinge durch die
leiblichen Sinne wahrgenommen werden, der Geist aber
besser ist als der Leib, kann man dann noch meinen, der
Geist könne nichts schauen durch sich selbst,[169] und
bezweifeln, daß das so Geschaute viel vorzüglicher und weit
herrlicher sein muß? Vielmehr werden wir durch all das,
worüber wir urteilen, hingelenkt, zu dem aufzublicken, wonach wir urteilen, werden wir von den Kunstwerken auf das
Gesetz der Künste gewiesen. Dann schauen wir im Geiste
jene Gestalt, mit welcher verglichen all das häßlich ist, was
durch ihre Güte schön ist. Denn »Gottes unsichtbares
Wesen, das ist seine ewige Kraft und Gottheit, wird geistig
wahrgenommen an den Werken, nämlich an der Schöpfung
der Welt.«[170] *281.* Das ist die Wendung von den zeitlichen
Dingen zu den ewigen und die Umformung des alten Menschen zum neuen. Was aber könnte es geben, wodurch der
Mensch nicht aufgefordert würde, die Tugenden zu ergrei-
fen, wenn das sogar durch die Laster geschehen kann? Denn
was sonst erstrebt die Neugier, wenn nicht Erkenntnis?
Aber es gibt keine gewisse Erkenntnis außer der der ewigen,
stets gleichbleibenden Dinge. Wonach trachtet der Hochmut, wenn nicht nach der Macht, die in Freiheit des Handelns besteht? Aber die findet nur eine vollkommene, Gott

subdita et ad eius regnum summa caritate conversa? Quid appetit voluptas corporis nisi quietem, quae non est nisi ubi nulla est indigentia et nulla corruptio? *282.* Cavendi sunt ergo inferiores inferi, id est post hanc vitam poenae graviores, ubi nulla potest esse commemoratio veritatis quia nulla ratiocinatio, ideo nulla ratiocinatio quia non eam perfundit »lumen verum quod inluminat omnem hominem venientem in hunc mundum.« Quare festinemus et ambulemus cum dies praesto est, ne nos tenebrae conprehendant. Festinemus a secunda morte liberari, ubi nemo est qui memor sit dei, et ab inferno ubi nemo confitebitur deo.

[LIII.102] *283.* Sed miseri homines, quibus cognita vilescunt et novitatibus gaudent, libentius discunt quam norunt, cum cognitio sit finis discendi, et quibus vilis est facilitas actionis, libentius certant quam vincunt, cum victoria sit finis certandi; et quibus vilis est corporis salus, malunt vesci quam satiari, et malunt frui genitalibus membris quam nullam talem commotionem pati; inveniuntur etiam qui malunt dormire quam non dormitare: cum omnis illius voluptatis finis sit non esurire ac sitire et non desiderare concubitum et non esse corpore fatigato. [103] *284.* Quare qui fines ipsos desiderant, prius curiositate carent, cognoscentes eam esse certam cognitionem quae intus est, et ea perfruentes quantum in hac vita queunt. Deinde accipiunt actionis facilitatem pervicacia posita, scientes maiorem esse facilioremque victo-

untertänige, seinem Reiche mit höchster Liebe zugewandte Seele. Wonach verlangt die leibliche Begierde, wenn nicht nach Ruhe? Doch die gibt es nur da, wo man nichts bedarf und wo nichts verdirbt. 282. Darum hüte man sich vor den untersten Tiefen, nämlich den härteren Strafen nach diesem Leben. Denn da kann man sich nicht mehr an die Wahrheit erinnern, weil die Vernunfttätigkeit aufgehört hat; und darum hat sie aufgehört, weil »das wahre Licht nicht mehr in sie einströmt, das alle Menschen erleuchtet, die in diese Welt kommen«.[171] So laßt uns eilen, laßt uns laufen, solange es Tag ist, daß die Finsternis uns nicht überfalle! Laßt uns eilen, vom zweiten Tod befreit zu werden, von dem umfangen niemand an Gott gedenkt, und von der Hölle, da niemand sich zu Gott bekennt!

[LIII.102]   *Die Vollendung im Jenseits*

283. Wie elend sind doch die Menschen, die des Erkannten überdrüssig werden und sich nur freuen, wenn Neues kommt, die lieber lernen als wissen, während doch Erkenntnis der Zweck des Lernens ist! Denen die Freiheit des Handelns gleichgültig ist und die lieber streiten als siegen, wo doch der Sieg der Zweck des Streitens ist! Denen die Gesundheit des Leibes selbstverständlich ist und die lieber essen als satt sein, lieber dem Geschlechtsgenuß sich hingeben als von solchem Begehren frei sein wollen! Ja, es gibt solche, die lieber schlafen als nicht schläfrig sein wollen. Während doch das Ziel all dieser Gelüste ist, nicht zu hungern und zu dürsten, nicht nach Beischlaf zu verlangen und keine Müdigkeit zu fühlen. [103] 284. Darum lassen diejenigen, die nach dem Ziel selber Verlangen tragen, die Gier nach Neuigkeit fahren. Denn sie begreifen, daß nur die innere Erkenntnis Gewißheit gibt.[172] An ihr erfreuen sie sich, soweit das in diesem Leben möglich ist. Die Streitsucht ferner legen sie ab und nehmen dafür die Freiheit des

riam non resistere animositati cuiusquam, et hoc, quantum in hac vita queunt, sentiunt, postremo etiam quietem corporis, abstinendo ab his rebus sine quibus agi haec vita potest. »Ita gustant quam suavis est dominus.« 285. Nec erit dubium quid post hanc vitam futurum sit, et perfectionis suae fide, spe, caritate nutriuntur. Post hanc autem vitam et cognitio perficietur, quia »ex parte« nunc scimus, »cum autem venerit quod perfectum est, non erit ex parte.« Et pax omnis aderit, nunc enim »alia lex in membris meis repugnat legi mentis meae«, sed »liberabit nos de corpore mortis huius gratia dei per Iesum Christum dominum nostrum«, quia ex magna parte concordamus cum adversario dum cum illo sumus in via. Et tota sanitas et nulla indigentia et nulla fatigatio aderit corpori, quia corruptibile hoc tempore atque ordine suo quo resurrectio carnis futura est, induetur incorruptione. 286. Non mirum autem si hoc dabitur his qui in cognitione solam veritatem amant et in actione solam pacem et in corpore solam sanitatem. Hoc in eis enim perficietur post hanc vitam, quod in hac vita plus diligunt.

[LIV.104] 287. Qui ergo male utuntur tanto mentis bono ut extra eam visibilia magis appetant, quibus ad conspicienda et

Handelns in Empfang. Denn sie wissen, daß man völliger
und leichter siegt, wenn man die Herausforderung des anderen unbeachtet läßt. Daran haben sie Wohlgefallen, soweit
das in diesem Leben möglich ist. Endlich wird ihnen auch
die Ruhe des Leibes zuteil, da sie sich dessen enthalten, was
man in diesem Leben entbehren kann. So »schmecken sie
bereits, wie freundlich der Herr ist«,[173] 285. und es ist nicht
zweifelhaft, was ihnen dereinst nach diesem Leben zufallen
wird. Ihrer Vollendung entgegensehend, nähren sie sich von
Glaube, Hoffnung und Liebe. Nach diesem Leben aber wird
die Erkenntnis vollendet werden. Denn jetzt ist unser Wissen »Stückwerk«; »wenn aber kommen wird das Vollkommene, so wird das Stückwerk aufhören«.[174] Dann wird auch
voller Friede herrschen. Denn jetzt »widerstreitet noch ein
anderes Gesetz in meinen Gliedern dem Gesetz meines
Geistes«, aber »Gottes Gnade durch Jesum Christum, unseren Herrn, wird uns befreien von dem Leibe dieses Todes«.[175] Denn wir müssen uns mit diesem Widersacher,[176]
solange wir mit ihm auf dem Wege sind, großenteils verstän-
digen, aber hernach wird dem Leibe volle Gesundheit ohne
Mangel und Ermüdung zuteil werden. Denn »dies Verwesliche wird«, wenn zu seiner Zeit und in vorgesehener Ordnung die Auferstehung des Fleisches erfolgt, »anziehen die
Unverweslichkeit.« 286. Es ist ja auch nicht wunderbar,
wenn dies denen verliehen wird, welche sich für ihr Erkennen nur die Wahrheit, für ihr Handeln nur den Frieden und
für ihren Leib nur die Gesundheit wünschen. Denn das wird
ihnen nach diesem Leben vollendet zuteil werden, was sie in
diesem Leben am meisten lieben.

[LIV.104]   *Das doppelte Schicksal nach dem Tode*

287. Diejenigen aber, die die edle Gabe der Vernunft
schlecht gebrauchen und vernunftlos das Sichtbare mehr
begehren, durch das sie doch gerade zur Beschauung und

diligenda intellegibilia commemorari debuerunt, dabuntur
eis exteriores tenebrae. Harum quippe initium est carnis
prudentia et sensuum corporeorum inbecillitas. Et qui certa-
minibus delectantur, alienabuntur a pace et summis difficul-
tatibus inplicabuntur. Initium enim summae difficultatis est
bellum atque contentio. *288*. Et hoc significare arbitror quod
ligantur ei manus et pedes, id est facilitas omnis aufertur
operandi. Et qui sitire et esurire volunt et in libidinem
ardescere et defatigari, ut libenter edant et bibant et concum-
bant et dormiant, amant indigentiam, quod est initium
summorum dolorum. Perficietur ergo in eis quod amant, ut
»ibi eis sit ploratus et stridor dentium«. [105] *289*. Plures
enim sunt qui haec omnia initia simul diligunt et quorum
vita est spectare, contendere, manducare, bibere, concum-
bere, dormire et in cogitatione sua nihil aliud quam phantasmata quae de tali vita colligunt amplexari et ex eorum fallacia
superstitionis vel impietatis regulas figere, quibus decipiuntur et quibus inhaerent etiam si ab inlecebris carnis se
abstinere conentur, quia non bene utuntur talento sibi com-
misso, id est mentis acie, qua videntur omnes qui docti aut
urbani aut faceti nominantur excellere. *290*. Sed habent eam
in sudario ligatam aut in terra obrutam, id est delicatis et
superfluis rebus aut terrenis cupiditatibus involutam et
oppressam. Ligabuntur ergo his manus et pedes et mittentur
in tenebras exteriores; »ibi erit ploratus et stridor dentium«.
Non quia ipsa dilexerunt – quis enim haec diligat? –, sed
quia illa quae dilexerunt initia istorum sunt et necessario
dilectores suos ad ista perducunt. Qui enim magis amant ire
quam redire aut pervenire, in longinquiora mittendi sunt,

Liebe des Geistigen angeregt werden sollten, werden der äußersten Finsternis anheimfallen. Deren Anfang ist die fleischliche Klugheit und die Schwäche der leiblichen Sinne. Und die an Streitigkeiten Freude haben, verlieren den Frieden und geraten in größte Schwierigkeiten. Deren Anfang ist Kampf und Krieg. *288.* Das ist, glaube ich, mit den Worten gemeint, daß jenem Manne Hände und Füße gebunden werden, ihm also die Fähigkeit der Betätigung entzogen wird. Und die hungern und dürsten, die Begierden aufstacheln und sich ermüden wollen, um desto genußreicher zu essen und zu trinken, sich zu begatten und zu schlafen, diese lieben die Bedürftigkeit, und das ist der Anfang ärgster Schmerzen. So empfangen sie den vollen Lohn ihrer verkehrten Liebe und kommen dahin, »wo Heulen ist und Zähneklappern«.[177] [105] *289.* Groß ist auch die Zahl derer, die diese Laster[178] alle zugleich lieben und deren Leben nichts anderes ist als Gaffen, Streiten, Essen, Trinken, Sichbegatten, Schlafen. Diese hegen in ihren Gedanken lauter Phantastereien, wie sie aus solchem Leben sich ergeben, und machen sich aus deren Trug Richtlinien gottlosen Aberglaubens. An denen hängen sie, so sehr sie sich täuschen, und zwar auch dann, wenn sie von fleischlichen Verirrungen sich zu enthalten suchen. Denn sie machen nicht den rechten Gebrauch von dem ihnen anvertrauten Pfunde, dem Scharfsinn des Geistes, wodurch alle, die man gelehrt, gebildet und feinsinnig nennt, sich auszuzeichnen scheinen, *290.* sondern haben ihren Geist ins Schweißtuch gewickelt oder in der Erde vergraben. Das ist, sie haben ihn mit Üppigkeit und Überfluß oder irdischen Begierden zugedeckt und erstickt. So bindet man ihnen Hände und Füße und stößt sie hinaus in die äußerste Finsternis, »wo Heulen und Zähneklappern sein wird«. Nicht als ob sie dies Schicksal liebten – wer könnte das wohl? –, sondern weil ihre verkehrte Liebe der Anfang ist, der die Liebhaber unweigerlich in dies Schicksal führt. Denn wer lieber weitergeht als umkehrt und heimkehrt, verliert sich in immer größere Fernen, denn er ist

quoniam »caro sunt et spiritus ambulans et non revertens«. [106] *291.* Qui vero bene utitur vel ipsis quinque sensibus corporis ad credenda et praedicanda opera dei et nutriendam caritatem ipsius vel actione et cognitione ad pacificandam naturam suam et cognoscendum deum, intrat in gaudium domini sui. Propterea talentum quod male utenti aufertur, illi datur qui talentis quinque bene usus est, non quia transferri potest acumen intellegentiae, sed ita significatum est posse hoc amittere neglegentes et impios ingeniosos et ad eam pervenire diligentes et pios quamvis ingenio tardiores. *292.* Non enim datum est illud talentum ei qui acceperat duo – habet enim et hoc qui iam in actione et in cognitione bene vivit –, sed ei qui acceperat quinque. Nondum enim habet ad aeterna contemplanda idoneam mentis aciem qui visibilibus tantum, id est temporalibus credit, sed habere potest qui horum omnium sensibilium deum artificem laudat, et eum persuadet fide et exspectat spe et quaerit caritate.

[LV.107] *293.* Quae cum ita sint, hortor vos, homines carissimi et proximi mei, meque ipsum hortor vobiscum, ut ad id quod nos per sapientiam suam deus hortatur quanta possumus celeritate curramus. Non diligamus mundum, quoniam »omnia quae in mundo sunt, concupiscentia carnis et concupiscentia oculorum est et ambitio saeculi«. *294.* Non diligamus per carnis voluptatem corrumpere atque corrumpi, ne ad miserabiliorem corruptionem dolorum tormentorumque veniamus; non diligamus certamina, ne ange-

»Fleisch, ein Wind, der dahinfährt und nicht wieder-kommt«. [106] *291.* Wer dagegen das Anvertraute, sei es auch nur die fünf leiblichen Sinne, gut gebraucht, Gottes Werke zu glauben und zu verkündigen, die Liebe zu ihm durch frommes Tun und Erkenntnisbemühung zu nähren, seine eigene Natur zu befrieden und Gott zu erkennen, der geht ein in seines Herren Freude. Darum wird auch das Pfund, das dem Schalksknecht weggenommen wird, dem zugelegt, der die fünf Pfunde gut gebrauchte. Das soll nicht heißen, daß Verstandesschärfe übertragen werden könnte, sondern soll bedeuten, daß die Hochbegabten ihr Pfund verlieren können, wenn sie nachlässig und gottlos sind, während die Achtsamen und Frommen, wenn auch weniger Begabten es erlangen. *292.* Denn jenes Pfund ward nicht dem gegeben, der zwei empfangen hatte, da er es bereits besitzt, weil er handelnd und erkennend recht lebt, sondern dem, der fünf empfangen hat. Denn zur Betrachtung des Ewigen hat noch nicht die nötige Geistesschärfe, wer nur dem Sichtbaren, also Zeitlichen glaubt.[179] Aber er kann sie bekommen, wenn er Gott, den kunstreichen Baumeister alles Sinnfälligen, lobt, ihn durch Glauben für sich gewinnt, in Hoffnung auf ihn wartet und in Liebe ihn sucht.

[LV.107]   *Aufruf zur wahren und Warnung vor der falschen Religion*

293. Darum ermahne ich euch, die ihr meine Liebsten und Nächsten seid, und ebenso mich selber: Laßt uns eilen, so schnell wie möglich, wohin uns Gott durch seine Weisheit ruft! Laßt uns die Welt nicht lieben, denn »alles, was in der Welt ist, Fleischeslust ist es, Augenlust und hoffärtiges Leben«.[180] *294.* Laßt uns die Wollust nicht lieben, durch die wir andere und uns selbst verderben, damit wir nicht jenem noch jammervolleren Verderben mit seinen Schmerzen und Folterqualen anheimfallen. Laßt uns den Streit nicht lie-

lis qui talibus gaudent in potestatem demur humiliandi
vinciendi verberandi; non diligamus visibilia spectacula, ne
ab ipsa veritate aberrando et amando umbras in tenebras
proiciamur. [108] *295.* Non sit nobis religio in phantasmatis
nostris; melius est enim qualecumque verum quam omne
quicquid pro arbitrio fingi potest, et tamen animam ipsam,
quamvis anima vera sit, cum falsa imaginatur, colere non
debemus; melior est vera stipula quam lux inani cogitatione
pro suspicantis voluntate formata, et tamen stipulam quam
sentimus et tangimus dementis est credere colendam. *296.*
Non sit nobis religio humanorum operum cultus; meliores
enim sunt ipsi artifices qui talia fabricantur, quos tamen
colere non debemus. Non sit nobis religio cultus bestiarum;
meliores enim sunt extremi homines, quos tamen colere non
debemus. Non sit nobis religio cultus hominum mortuorum, quia si pie vixerunt, non sic habentur ut tales
quaerant honores, sed illum a nobis coli volunt quo inlumi-
nante laetantur meriti sui nos esse conservos; *297.* honorandi
ergo sunt propter imitationem, non adorandi propter religionem; si autem male vixerunt, ubicumque sint non sunt
colendi. Non sit nobis religio cultus daemonum, quia omnis
superstitio cum sit magna poena hominum et periculosissima
turpitudo, honor est ac triumphus illorum. [109] *298.* Non
sit nobis religio terrarum cultus et aquarum, quia istis purior
et lucidior est aer etiam caliginosus, quem tamen colere non
debemus. Non sit nobis religio etiam purioris aeris et sere-
nioris cultus, quia luce absente inumbratur et purior illo est

ben, damit wir nicht in die Gewalt jener Engel geraten, die sich daran freuen und uns demütigen, besiegen und züchtigen wollen. Laßt uns auch die sichtbaren Schauspiele nicht lieben, damit wir nicht von der Wahrheit abirren, mit Schatten uns befreunden und in die Finsternis abstürzen. [108] *295.* Unsere Religion sei nicht ein Haften an Phantasiebildern. Denn besser ist jedes beliebige Wahre als alles, was man sich willkürlich ausdenken kann. Trotzdem dürfen wir auch die Seele, obschon sie eine wahre Seele ist, auch wenn sie sich Falsches ausdenkt, nicht verehren. Besser ist ein wahrer Strohhalm als das eitle Gedankengebilde des falschen Lichtes, das der Wille aus bloßen Mutmaßungen sich formt. Trotzdem wäre es Narrheit, einen Strohhalm, den man wahrnehmen und betasten kann, zu verehren. *296.* Unsere Religion sei nicht ein Kult menschlicher Kunstwerke. Denn besser als diese sind die Künstler selbst, die solche Werke schaffen, und die wir gleichwohl nicht verehren dürfen. Unsere Religion sei nicht ein Kult von Tieren. Denn besser als sie sind die geringsten Menschen, die wir gleichwohl nicht verehren dürfen. Unsere Religion sei nicht ein Kult verstorbener Menschen. Denn lebten sie fromm, kann man nicht glauben, daß sie solche Ehren suchen. Sondern sie wollen, daß wir den verehren, der sie erleuchtet und beglückt, wenn auch wir Anteil gewinnen an ihren Verdiensten. *297.* Man muß sie nacheifernd ehren, aber nicht religiös verehren. Haben sie aber übel gelebt, darf man sie, wo sie auch sein mögen, erst recht nicht verehren. Unsere Religion sei auch nicht ein Kult der Dämonen, denn aller Aberglaube ist eine schlimme Strafe und gefährlichste Schmach der Menschen, aber Ehre und Triumph jener Bösewichter. [109] *298.* Unsere Religion sei nicht ein Kult von Erde und Gewässern. Denn reiner und lichter als sie ist die Luft, auch wenn sie verschattet ist, aber auch die dürfen wir nicht verehren. Unsere Religion sei auch nicht ein Kult der reineren und heitereren Luft; denn fehlt das Licht, wird sie verdunkelt, und reiner als sie ist der Glanz unseres Feuers,

fulgor ignis etiam huius, quem tamen, quoniam pro voluntate accendimus et extinguimus, colere utique non debemus.
299. Non nobis sit religio cultus corporum aethereorum
atque caelestium quae quamvis omnibus ceteris corporibus
recte praeponantur, melior tamen ipsis est quaecumque vita;
quapropter si animata sunt, melior est quaevis anima per se
ipsam quam corpus quodlibet animatum, et tamen animam
vitiosam nemo colendam esse censuerit. *300.* Non sit nobis
religio cultus illius vitae qua dicuntur arbores vivere, quoniam nullus sensus in illa est et ex eo genere est ista qua nostri
etiam corporis numerositas agitur, qua etiam capilli et ossa
vivunt quae sine sensu praeciduntur; hac autem melior est
vita sentiens; et tamen vitam bestiarum colere non debemus.
[110] *301.* Non sit nobis religio vel ipsa perfecta et sapiens
anima rationalis sive in ministerio universitatis sive in ministerio partium stabilita, sive quae in summis hominibus
expectat commutationem reformationemque portionis suae,
quoniam omnis vita rationalis si perfecta est incommutabili
veritati secum intrinsecus sine strepitu loquenti obtemperat,
non obtemperans autem vitiosa fit. Non ergo per se excellit
sed per illum cui libenter obtemperat. *302.* Quod colit ergo
summus angelus, id colendum est etiam ab homine ultimo,
quia ipsa hominis natura id non colendo facta est ultima.
Non enim aliunde sapiens angelus aliunde homo, aliunde
ille verax aliunde homo, sed ab una incommutabili sapientia
et veritate. Nam id ipsum actum est temporali dispensatione ad salutem nostram, ut naturam humanam ipsa dei
virtus et dei sapientia incommutabilis et consubstantialis
patri et coaeterna suscipere dignaretur, per quam nos

das wir jedoch, weil wir es nach Gutdünken anzünden und auslöschen, keineswegs verehren dürfen. *299.* Unsere Religion sei nicht ein Kult der ätherischen und himmlischen Körper, obwohl wir sie allen übrigen Körpern mit Recht vorziehen. Aber besser als sie ist jedwedes Leben. Sind die Gestirne aber beseelt, so ist doch jede Seele, für sich betrachtet, besser als jeder beseelte Körper. Dennoch meine niemand, man müsse eine fehlerhafte Seele verehren. *300.* Unsere Religion sei nicht ein Kult jenes Lebens, das, wie man annimmt, die Bäume belebt. Denn es ist gefühllos und von derselben Art, wie es auch in dem wohlgegliederten Gefüge unseres Körpers wirksam ist und auch in unseren Haaren und Knochen lebt, die man, ohne es zu fühlen, abschneiden kann. Besser als dies aber ist das fühlende Leben, und dennoch dürfen wir auch das Leben der Tiere nicht verehren. [110] *301.* Unsere Religion sei aber auch nicht ein Kult der vollkommenen und weisen, vernünftigen Seele, weder der zum Dienst des Weltalls noch der zum Dienst seiner Teile bestellten, noch der, die in den edelsten Menschen auf die Verwandlung und Erneuerung des ihr zugewiesenen Anteils[181] wartet. Denn alles vernünftige Leben, wenn es vollkommen ist, gehorcht der unwandelbaren Wahrheit, die innerlich geräuschlos zu ihm spricht. Ist es ihr aber ungehorsam, wird es schlecht. Also nicht durch sich selbst besitzt es seinen Vorzug, sondern durch sie, der es willig gehorcht. *302.* Was also der höchste Engel verehrt, muß auch für den niedrigsten Menschen Gegenstand der Verehrung sein; denn des Menschen Natur ward gerade dadurch erniedrigt, daß sie es nicht verehrte. Denn nicht anderswoher ist der Engel weise, anderswoher der Mensch, nicht anderswoher jener wahrhaftig, anderswoher der Mensch, sondern beide sind es von der unwandelbaren Weisheit und Wahrheit. Denn also geschah es durch die zeitliche Veranstaltung zu unserem Heil, daß Gottes Kraft und unwandelbare Weisheit, wesensgleich und gleich ewig dem Vater, sich herabließ, menschliche Natur anzunehmen,

doceret id esse homini colendum quod ab omni creatura
intellectuali et rationali colendum est. *303.* Hoc etiam ipsos
optimos angelos et excellentissima ministeria dei velle credamus, ut unum cum ipsis colamus deum, cuius contemplatione beati sunt. Neque enim et nos videndo angelum beati
sumus, sed videndo veritatem, qua etiam ipsos diligimus
angelos et his congratulamur nec invidemus quod ea paratio-
res et nullis molestiis interpedientibus perfruuntur, sed
magis eos diligimus quoniam et nos tale aliquid sperare a
communi domino iussi sumus. *304.* Quare honoramus eos
caritate non servitute. Nec eis templa constituimus; nolunt
enim se sic honorari a nobis, quia nos ipsos cum boni sumus
templa summi dei esse noverunt. Recte itaque scribitur
hominem ab angelo prohibitum ne se adoraret, sed unum
dominum sub quo ei esset et ille conservus. [111] *305.* Qui
autem nos invitant ut sibi serviamus et tamquam deos colamus, similes sunt superbis hominibus quibus si liceat similiter coli volunt. Sed istos homines perpeti minus periculosum
est. Omnis enim hominum dominatus in homines aut
dominantium aut servientium morte finitur; servitus autem
sub angelorum malorum superbia propter ipsum tempus
quod est post mortem magis metuenda est. *306.* Illud etiam
cuivis cognoscere facile est, quod sub homine dominante
liberas cogitationes habere concessum est; illos autem domi-
nos in ipsis mentibus formidamus, qui unus est oculus
intuendae ac percipiendae veritatis. Quare si omnibus pote-
statibus quae dantur hominibus ad regendam rempublicam
pro nostro vinculo subditi sumus, reddentes Caesari quod
Caesaris est et deo quod dei est, non est metuendum ne hoc

um uns durch sie zu belehren, daß auch der Mensch dasselbe verehren soll, was von aller geistigen und vernünftigen Kreatur verehrt werden muß.[182] 303. Denn wir müssen es glauben: Gerade die besten Engel und die vornehmste Dienerschaft Gottes wollen es, daß wir mit ihnen den einen Gott verehren, dessen Betrachtung sie selbst beseligt. Auch wir werden ja nicht selig, wenn wir einen Engel schauen, sondern wenn wir die Wahrheit schauen, in der wir auch die Engel lieben und uns mit ihnen freuen. Wir beneiden sie nicht, weil sie die Wahrheit aufgeschlossener und unbehindert durch irgendwelche Beschwerden genießen, sondern lieben sie um so mehr, da unser gemeinsamer Herr auch uns anweist, das gleiche zu hoffen. 304. Darum ehren wir sie in Liebe, nicht in Knechtschaft. Wir bauen ihnen auch keine Tempel. Denn so wollen sie von uns nicht geehrt werden, wissen vielmehr, daß wir selbst, wenn wir nur gut sind, Tempel des höchsten Gottes sind. Lesen wir doch in der Schrift, daß ein Engel es einem Menschen verwehrte, ihn anzubeten statt des einen Herrn, dem auch er als Mitknecht untertan sei. [111] 305. Diejenigen Engel aber, die uns auffordern, ihnen zu dienen und sie wie Götter zu verehren, gleichen hoffärtigen Menschen, die auch so verehrt werden möchten, wenn sich's machen ließe. Aber solche Menschen zu ertragen ist weniger gefährlich, als jene zu verehren. Denn jede Herrschaft von Menschen über Menschen wird durch den Tod, sei es der Herren, sei es der Knechte, beendet. Die Knechtschaft aber unter der Hoffart der bösen Engel ist im Hinblick auf die Zeit nach dem Tode viel mehr zu fürchten. 306. Denn jeder begreift leicht, daß man unter der Herrschaft eines Menschen seine freien Gedanken hegen darf; aber vor jenen Herren müssen wir um unseres Geistes willen bange sein, da er unser alleiniges Auge ist, die Wahrheit zu schauen und zu erfassen. Wenn wir also auch allen staatlichen Gewalthabern gehorchen, denen wir Menschen zwangsweise unterworfen sein mögen, indem wir dem Kaiser geben, was des Kaisers, und Gott, was Gottes ist,

post nostram mortem aliquis exigat. Et aliud est servitus animae, aliud servitus corporis. *307.* Iusti autem homines et in uno deo habentes omnia gaudia sua, quando per eorum facta deus benedicitur, tum gratulantur laudantibus; cum vero ipsi tamquam ipsi laudantur, corrigunt errantes quos possunt, quos autem non possunt non eis gratulantur et ab illo vitio corrigi volunt. Quibus similes vel etiam mundiores atque sanctiores si sunt boni angeli et omnia sancta dei ministeria, quid metuimus ne aliquem illorum offendamus, si non superstitiosi fuerimus, cum ipsis adiuvantibus ad unum deum tendentes et ei uni religantes animas nostras – unde religio dicta creditur – omni superstitione careamus? [112] *308.* Ecce unum deum colo: unum omnium principium et sapientiam qua sapiens est quaecumque anima sapiens est, et ipsum munus quo beata sunt quaecumque beata sunt. Quisquis angelorum diligit hunc deum, certus sum quod etiam me diligit; quisquis in illo manet et potest humanas preces audire, in illo me exaudit; quisquis ipsum habet bonum suum, in ipso me adiuvat nec mihi eius participationem potest invidere. *309.* Dicant mihi ergo adoratores aut adulatores partium mundi quem non optimum sibi conciliet, qui hoc unum colit quod omnis optimus diligit, et cuius cognitione gaudet ad quod principium recurrendo fit optimus. Quisquis vero angelus excessus suos diligit et veritati esse subditus non vult et privato suo laetari cupiens a communi omnium bonorum et vera beatitudine lapsus est, cui omnes mali subiugandi et premendi, nullus autem bonus nisi exercendus in potestatem datur, nullo dubitante non est

brauchen wir nicht zu besorgen, daß irgend jemand nach unserem Tode solches von uns fordern werde. Ist doch Seelenknechtschaft etwas anderes als Knechtschaft des Leibes. *307.* Die gerechten Menschen dagegen, die all ihre Freuden allein in Gott finden und durch deren Taten Gott gepriesen wird, freuen sich mit denen, die das loben. Werden sie aber selbst um deswillen gelobt, so weisen sie die Irrenden zurecht, so gut sie können. Gelingt das nicht, können sie sich mit ihnen auch nicht freuen, möchten ihnen vielmehr von diesem Fehler abhelfen. Da nun die guten Engel und die ganze himmlische Dienerschaft Gottes diesen gerechten Menschen gleichen, vielmehr noch reiner und heiliger sind, brauchen wir wirklich nicht zu fürchten, einen von ihnen zu beleidigen, wenn wir nicht abergläubisch sind. Denn mit ihrer Hilfe streben wir zu dem einen Gott und bemühen uns, ihm allein frei von allem Aberglauben unsere Seelen zu verbinden, woher, wie man annimmt, das Wort Religion stammt.[183] [112] *308.* Ja, ich verehre den einen Gott, den einen Ursprung des Alls, und die Weisheit, die alle weisen Seelen weise, und die Gabe, die alle Seligen selig macht. Jeder Engel, der diesen Gott liebt, der liebt, dessen bin ich gewiß, auch mich. Wer in ihm bleibt und menschliche Bitten hören kann, wird mich in ihm erhören. Wer in Gott sein Gut besitzt, hilft in ihm auch mir und kann mir meinen Anteil an ihm nicht mißgönnen. *309.* Die Anbeter und Umschmeichler jener Engel aber, denen Teile der Welt zugewiesen sind, mögen mir sagen, ob der nicht gerade die besten von ihnen sich zu Freunden macht, wer das Eine verehrt, das die Besten verehren, an dessen Erkenntnis sie sich freuen und zu dem sie als ihrem Ursprung zurückeilen, um dadurch noch besser zu werden. Jeder Engel aber, der seine eigenen Ausschreitungen liebt und der Wahrheit nicht untertan sein will, der nur nach eigenem Gut verlangt und darum vom gemeinsamen Gut und der wahren Seligkeit ausgeschlossen ist, dessen Gewalt alle Bösen zur Unterdrückung und Peinigung, Gute aber höchstens zur Prüfung

colendus; cuius laetitia est nostra miseria et cuius damnum est nostra reversio. [113] *310.* Religet ergo nos religio uni omnipotenti deo, quia inter mentem nostram qua illum intellegimus patrem, et veritatem, id est lucem interiorem per quam illum intellegimus, nulla interposita creatura est. Quare ipsam quoque veritatem nulla ex parte dissimilem in ipso et cum ipso veneremur, quae forma est omnium quae ab uno facta sunt et ad unum nituntur. Unde apparet spiritalibus animis per hanc formam esse facta omnia, quae sola implet quod appetunt omnia. *311.* Quae tamen omnia neque fierent a patre per filium neque suis finibus salva essent, nisi deus summe bonus esset. Qui et nulli naturae quae ab ipso bona esse posset invidit; et in bono ipso alia quantum vellent, alia quantum possent ut manerent dedit. *312.* Quare ipsum donum dei cum patre et filio aeque incommutabile colere et tenere nos convenit: unius substantiae trinitatem, unum deum a quo sumus, per quem sumus, in quo sumus; a quo discessimus, cui dissimiles facti sumus, a quo perire non permissi sumus; principium ad quod recurrimus et formam quam sequimur et gratiam qua reconciliamur; unum quo auctore conditi sumus, et similitudinem eius per quam ad unitatem formamur et pacem qua unitati adhaeremus; *313.* deum qui dixit »fiat«, et verbum per quod factum est omne quod substantialiter et naturaliter factum est, et donum benignitatis eius, quia placuit et conciliatum est auctori suo, ut non interiret quidquid ab eo per verbum factum est; unum deum quo creatore vivimus, per quem reformati sapienter vivimus, quem diligentes et quo fruentes beate vivimus; unum deum ex quo omnia, per quem omnia, in quo omnia; ipsi gloria in saecula saeculorum.

ausgeliefert werden, der darf unfraglich nicht verehrt werden.
Denn seine Freude ist unser Elend und sein Schaden unsere
Bekehrung. [113] *310.* So möge uns die Religion dem einen
allmächtigen Gott verbinden. Denn zwischen unserem Geist,
mit dem wir den Vater erkennen, und der Wahrheit, das ist,
dem inneren Licht, durch das wir ihn erkennen, steht keine
Kreatur. Darum wollen wir auch in ihm und mit ihm die
Wahrheit, die ihm nicht im geringsten unähnliche, verehren.
Denn sie ist die Form aller Dinge, die von dem Einen geschaffen sind und zum Einen streben. Ist es doch den geistlichen
Seelen klar, daß durch diese Form alles geschaffen ist und daß
sie allein erfüllt, wonach alles sich sehnt. *311.* Doch könnte
nicht alles vom Vater durch den Sohn geschaffen sein und
innerhalb der gesteckten Grenzen gedeihen, wäre Gott nicht
zuhöchst gut und mißgönnte er es irgendeinem Wesen, als
sein Geschöpf gut zu sein, und verliehe er es nicht den einen,
sofern sie es wollen, den anderen, sofern sie es können, im
Guten zu verharren. *312.* Darum müssen wir mit dem Vater
und dem Sohne auch die Gabe Gottes, die gleich unwandelbare, verehren und bewahren, die Dreieinigkeit eines
Wesens, den einen Gott, von dem, durch den und in dem wir
sind. Von ihm sind wir abgewichen, ihm sind wir unähnlich
geworden, aber er läßt uns nicht verlorengehen. Er ist der
Ursprung, zu dem wir zurückeilen, das Vorbild, dem wir
folgen, die Gnade, durch die wir versöhnt werden. Er ist der
eine Gott, dem wir unser Dasein verdanken, das Ebenbild,
das uns zur Einheit formt, der Friede, in dem wir an der
Einheit hangen. *313.* Er ist der Gott, der gesagt hat: »Es
werde«,[184] und das Wort, durch welches alles geschaffen
ward, was Wesen und Natur besitzt, und die Gabe seiner
Güte, durch die es dem Schöpfer gefiel und mit ihm versöhnt
ward,[185] auf daß nicht verlorenginge, was er durchs Wort
geschaffen. Es ist der eine Gott, durch den wir geschaffen
sind, um zu leben, und erneuert, um weise zu leben, den wir
lieben, den wir genießen, um glückselig zu leben. Der eine
Gott, aus dem alles, durch den alles und in dem alles ist. Ihm
sei Ehre von Ewigkeit zu Ewigkeit. Amen.

[XII] 1. Tunc etiam de vera religione librum scripsi, in quo multipliciter et copiosissime disputatur unum verum deum, id est trinitatem, patrem et filium et spiritum sanctum, religione vera colendum, et quanta misericordia eius per temporalem dispensationem concessa sit hominibus Christiana religio, quae vera religio est, et ad eundem cultum dei quemadmodum sit homo quadam suavitate coaptandus. Maxime tamen contra duas naturas Manicheorum liber hic loquitur.

2. In hoc libro quodam loco: »Sit«, inquam, »tibi manifestum atque perceptum nullum errorem in religione esse potuisse, si anima pro deo suo non coleret animam aut corpus aut phantasmata sua.« Hic animam pro universa creatura incorporali posui non loquens more scripturarum, quae animam, quando non translato verbo utuntur, nescio utrum velint intellegi nisi eam, qua vivunt animalia mortalia, in quibus et homines sunt, quamdiu mortales sunt. Paulo post autem eundem sensum melius sum breviterque conplexus, ubi dixi: »Non ergo creaturae potius quam creatori serviamus nec evanescamus in cogitationibus nostris, et perfecta religio est.« Creaturam quippe uno nomine utramque, id est spiritalem corporalemque, significavi. Restat, quod ibi dixi: »Aut phantasmata sua«, propter quod hic dixi: »Nec evanescamus in cogitationibus nostris.«

3. Item quod dixi: »Ea est nostris temporibus Christiana religio, quam cognoscere ac sequi securissima et certissima

[XII] 1. Damals schrieb ich auch das Buch von der wahren Religion, in welchem vielfältig und sehr ausführlich dargelegt wird, daß in der wahren Religion der eine wahre Gott, das ist die Dreieinigkeit, Vater, Sohn und Heiliger Geist, verehrt werden muß. Ferner, welch ein Erbarmen sich darin kundtat, daß Gott durch eine zeitliche Veranstaltung den Menschen die christliche Religion, die die wahre Religion ist, übermittelte. Sodann, wie der Mensch zu dieser Gottesverehrung durch milde göttliche Führung tauglich gemacht werden muß. Vor allem aber nimmt dies Buch gegen die Zweinaturenlehre der Manichäer Stellung.

2. In diesem Buche sage ich an einer Stelle: »Du mußt dies eine dir klarmachen und zu begreifen lernen, daß in der Religion kein Irrtum hätte entstehen können, wenn die Seele anstelle ihres Gottes nicht entweder eine Seele oder einen Körper oder ihre eigenen Phantasiegebilde verehrt haben würde.«[186] Hier gebrauchte ich das Wort Seele zur Bezeichnung der ganzen unkörperlichen Kreatur, während die Schrift meines Wissens, wenn sie nicht in übertragenem Sinne spricht, nur an die Seele denkt, welche sterbliche Geschöpfe, darunter auch die Menschen, belebt, solange sie sterblich sind. Bald darauf habe ich jedoch diesen Sinn besser und kürzer zum Ausdruck gebracht, als ich schrieb: »So wollen wir denn nicht der Kreatur, sondern dem Schöpfer dienen und keinen eitlen Gedanken nachhängen – das ist die vollkommene Religion.«[187] Da habe ich nämlich mit dem einen Wort Kreatur beides, sowohl das geistige als auch das körperliche Geschöpf, bezeichnet. Und wenn ich an der ersten Stelle von den eigenen Phantasiegebilden redete, heißt es nun: Wir wollen keinen eitlen Gedanken nachhängen.

3. Wenn ich ferner sagte: »Das ist die christliche Religion unserer Tage. Sie zu kennen und ihr zu folgen, ist der

salus est«, secundum hoc nomen dictum est, non secundum
ipsam rem, cuius hoc nomen est. Nam res ipsa, quae nunc
Christiana religio nuncupatur, erat et apud antiquos nec
defuit ab initio generis humani, quousque Christus veniret
in carne, unde vera religio, quae iam erat, coepit appellari
Christiana. Cum enim eum post resurrectionem ascensio-
nemque in caelum coepissent apostoli praedicare et plurimi
crederent, primum apud Antiochiam, sicut scriptum est,
appellati sunt discipuli Christiani. Propterea dixi: »Haec est
nostris temporibus Christiana religio«, non quia prioribus
temporibus non fuit, sed quia posterioribus hoc nomen
accepit.

4. Alio loco: »Intende igitur«, inquam, »in haec, quae
secuntur, diligenter et pie, quantum potes; tales enim adiuvat deus.« Quod non ita intellegendum est, quasi tantummodo tales adiuvet, cum etiam adiuvet non tales, ut sint
tales, id est ut diligenter et pie quaerant; tales autem adiuvat,
ut inveniant. Itemque alibi: »Deinde«, inquam, »iam erit
consequens, ut post mortem corporalem, quam debemus
primo peccato, tempore suo atque ordine suo hoc corpus
restituatur pristinae stabilitati.« Quod sic accipiendum est,
quia etiam pristina stabilitas corporis, quam peccando amisi-
mus, habebat tantam felicitatem, ut in defectum non verge-
ret senectutis. Huic ergo pristinae stabilitati restituetur hoc
corpus in resurrectione mortuorum, sed habebit amplius, ut
nec alimentis temporalibus sustentetur, sed ad sufficientiam
vivificetur solo spiritu, cum resurrexerit in spiritum vivifi-
cantem, quia iam etiam spiritale erit. Illud autem, quod

sicherste und gewisseste Weg zum Heil«,[188] so bezieht sich das nur auf den Namen der christlichen Religion, nicht auf die Sache, die mit diesem Namen bezeichnet wird. Die Sache selbst, die nun christliche Religion genannt wird, gab es ja schon bei den Alten. Denn vom Anbeginn des Menschengeschlechtes an fehlte sie nicht, bis Christus selbst im Fleische erschien. Erst seitdem fing man an, die längst vorhandene wahre Religion christlich zu nennen. Als nämlich nach der Auferstehung und Himmelfahrt Christi die Apostel angefangen hatten, von ihm zu predigen, und sehr viele gläubig wurden, da nannte man die Jünger, wie die Schrift erzählt, zuerst zu Antiochien Christen. Darum schrieb ich: »Das ist die christliche Religion unserer Tage«, nicht als wäre sie in den früheren Zeiten noch nicht dagewesen, sondern weil sie erst in den späteren diesen Namen empfangen hat.

4. An einer anderen Stelle dieses Kapitels sage ich: »Erwäge also, was nun folgt, so aufmerksam und fromm, wie es dir nur möglich ist, denn solch einem Leser steht Gott bei.«[189] Das ist nicht so zu verstehen, als stände Gott nur solchen bei, da er doch auch nicht solchen beisteht, daß sie solche werden, das ist, aufmerksam und fromm suchen. Denn solchen steht er bei, daß sie es auch finden. Ferner sage ich: »Daraus ergibt sich dann, daß nach dem leiblichen Tode, der Straffolge der ersten Sünde, auch dieser unser Leib zu seiner Zeit und in seiner Ordnung zu der Gesundheit und Kraft, die er anfänglich besaß, erneuert werden wird.«[190] Das ist so aufzufassen, daß bereits die ursprüngliche Gesundheit und Kraft des Leibes, die wir durch die Sünde verloren, von solch glücklicher Beschaffenheit war, daß sie den Verfall des Greisenalters nicht kannte. Diese ursprüngliche Gesundheit und Kraft wird unser Leib bei der Auferstehung der Toten wiedererlangen. Aber noch mehr, er wird auch keine materiellen Nahrungsmittel mehr nötig haben, sondern er wird allein durch den Geist volles Genügen empfangen, wenn er zu einem lebenspendenden Geist auferstanden sein wird. Dann wird auch er geistlich sein. Jener erste Leib dagegen

primum fuit quamvis non moriturum, nisi homo peccasset, tamen animale factum est, hoc est in animam viventem.

5. Et alibi: »Usque adeo«, inquam, »peccatum voluntarium malum est, ut nullo modo sit peccatum, si non sit voluntarium.« Potest videri falsa haec definitio, sed, si diligenter discutiatur, invenietur esse verissima. Peccatum quippe illud cogitandum est, quod tantummodo peccatum est, non quod est etiam poena peccati, sicut superius ostendi, cum quaedam commemorarem ex libro tertio de libero arbitrio, quamvis et illa, quae non inmerito non voluntaria peccata dicuntur, quia vel a nescientibus vel a coactis perpetrantur, non omni modo possunt sine voluntate committi, quoniam et ille, qui peccat ignorans, voluntate utique peccat, quod, cum faciendum non sit, putat esse faciendum, et ille, qui concupiscente adversus spiritum carne non ea quae vult facit, concupiscit quidem nolens et ideo non facit quod vult, sed, si vincitur, concupiscentiae consentit volens, et ideo non facit nisi quod vult, liber scilicet iustitiae servusque peccati. Et illud, quod in parvulis dicitur originale peccatum, cum adhuc non utantur arbitrio voluntatis, non absurde vocatur etiam voluntarium, quia ex prima hominis mala voluntate contractum factum est quodam modo hereditarium. Non itaque falsum est, quod dixi: »Usque adeo peccatum voluntarium malum est, ut nullo modo sit peccatum, si non sit voluntarium.« Ideo gratia dei non solum reatus omnium praeteritorum solvitur in omnibus, qui baptizantur in Christo, quod fit spiritu regenerationis, verum etiam in grandibus voluntas ipsa sanatur et praeparatur a domino, quod fit spiritu fidei et caritatis.

hätte zwar nicht sterben müssen, wenn der Mensch nicht gesündigt hätte, aber er war nur als natürliches Wesen zu einer lebendigen Seele geschaffen.

5. Anderswo sage ich: »Nun aber ist die Sünde so sehr ein freigewollt Böses, daß man schlechterdings von Sünde nicht reden könnte, wenn sie nicht freigewollt wäre.«[191] Diese Definition könnte verkehrt scheinen. Sieht man aber genauer zu, zeigt sich's, daß sie durchaus wahr ist. Denn unter Sünde ist hier nur das verstanden, was ausschließlich Sünde, nicht auch Sündenstrafe ist, wie ich das vorhin dargelegt habe, als ich einige Stellen aus dem dritten Buch vom freien Willen anführte. Wiewohl auch jene Sünden, die man nicht ohne Grund unfreiwillig nennt, weil sie entweder unwissend oder zwangsläufig begangen werden, nicht gänzlich willenlos verübt werden können. Denn auch wer unbewußt sündigt, tut es mit Willen, da er das glaubt tun zu sollen, was er nicht tun sollte. Und auch jener, der, wenn das Fleisch gegen den Geist gelüstet, nicht das tut, was er will, dessen Begierde ist zwar ungewollt, und insofern tut er nicht, was er will. Aber wenn er unterliegt, stimmt er mit Willen der Begierde zu und tut insofern nur, was er will, nämlich frei von der Gerechtigkeit und ein Knecht der Sünde. Aber auch das, was man bei kleinen Kindern, die noch keine freie Willensentscheidung haben, Erbsünde nennt, wird ebenfalls nicht ohne Sinn freiwillig genannt, weil es aus dem ersten bösen Willen des Menschen stammt und so gewissermaßen vererbt ist. Also ist es nicht verkehrt, wenn ich schrieb: »Nun aber ist die Sünde so sehr ein freigewollt Böses, daß man schlechterdings von Sünde nicht reden könnte, wenn sie nicht freigewollt wäre.« Darum wird durch Gottes Gnade allen in Christo Getauften nicht nur die Schuld aller vergangenen Sünden getilgt, was durch den Geist der Wiedergeburt geschieht, sondern auch bei den Erwachsenen der Wille selbst geheilt und vom Herrn zubereitet, was durch den Geist des Glaubens und der Liebe geschieht.

6. Alio loco quod dixi de domino Iesu Christo: »Nihil egit vi, sed omnia suadendo et monendo«, non mihi occurrerat, quod vendentes et ementes flagellando eiecit de templo. Sed quid hoc aut quantum est, quamvis et daemones nolentes ab hominibus non sermone suasionis, sed vi potestatis eiecerit? Item alio loco: »Prius«, inquam, »isti sequendi sunt, qui unum summum et solum colendum esse dicunt; si apud hos veritas non eluxerit, tunc demum migrandum.« Quod ita potest videri dictum, quasi de huius religionis veritate dubitaverim. Dixi autem, sicut ei congruebat, ad quem scribebam. Sic enim dixi: »Si apud hos veritas non eluxerit«, nihil dubitans, quod apud eos elucesceret, quemadmodum ait apostolus: si Christus non resurrexit, non utique dubitans, quod resurrexit.

7. Item quod dixi: »Nec miracula illa in nostra tempora durare permissa sunt, ne anima semper visibilia quaereret et eorum consuetudine frigesceret genus humanum, quorum novitate flagravit«, verum est quidem; non enim nunc usque, cum manus inponitur baptizatis, sic accipiunt spiritum sanctum, ut loquantur linguis omnium gentium, aut nunc usque per umbram transeuntem praedicatorum Christi sanantur infirmi, et si qua talia tunc facta sunt, quae postea cessasse manifestum est. Sed non sic accipiendum est, quod dixi, ut nunc in Christi nomine fieri miracula nulla credantur. Nam ego ipse, quando istum ipsum scripsi librum, ad

6. Sodann, als ich andernorts von unserem Herrn Jesus Christus sagte: »Nie hat er Gewalt gebraucht, sondern nur überredet und ermahnt«,[192] war mir nicht in den Sinn gekommen, daß er die Verkäufer und Käufer mit Geißelhieben aus dem Tempel verjagt hat. Aber was hat das viel zu bedeuten? Übrigens hat er auch die Dämonen wider ihren Willen, nicht durch gütlichen Zuspruch, sondern durch herrische Gewalt ausgetrieben. Weiterhin heißt es an anderer Stelle: »Zuvörderst muß man also denen folgen, die sagen, der eine Gott sei der höchste, einzige, wahre und darum auch der allein zu verehrende Gott. Erst dann, wenn bei ihnen die Wahrheit nicht an den Tag kommen sollte, müßte man weiter sehen.«[193] Das könnte man so verstehen, als zweifelte ich an der Wahrheit dieser Religion. Aber ich sagte das nur so mit Rücksicht auf den, welchem das Buch zugedacht war. Die Worte: »Erst dann, wenn bei ihnen die Wahrheit nicht an den Tag kommen sollte«, wollen nicht in Zweifel ziehen, daß sie tatsächlich bei ihnen ans Licht kommt. Es ist so wie bei dem Apostel, der wohl einmal schreibt: »Wenn Christus nicht auferstanden ist«, aber keineswegs daran zweifelt, daß er auferstanden ist.

7. Wenn ich ferner sagte: »In unserer Zeit mußten jene Wunder aufhören. Denn der Geist sollte nicht immer am Sichtbaren hängen und das Menschengeschlecht nicht durch Gewöhnung an die Wunder erkalten, die es einst, als sie neu waren, in Begeisterung versetzt hatten«,[194] so ist das freilich wahr. Denn jetzt empfangen die Getauften, wenn ihnen die Hände aufgelegt werden, nicht mehr in der Weise den Heiligen Geist, daß sie in den Sprachen aller Völker reden. Auch werden jetzt die Kranken nicht geheilt, wenn der Schatten vorübergehender Prediger Christi auf sie fällt, und auch sonst hat dergleichen, das damals geschah, offenbar aufgehört. Doch ist das, was ich sagte, nicht so zu verstehen, als dächte man jetzt, im Namen Christi ereigneten sich keine Wunder mehr. Denn ich selbst wußte schon, als ich dies Buch schrieb, von dem Blinden, der bei den Leibern der

Mediolanensium corpora martyrum in eadem civitate
caecum inluminatum fuisse iam noveram et alia nonnulla,
qualia tam multa etiam istis temporibus fiunt, ut nec omnia
cognoscere nec ea, quae cognoscimus, enumerare pos-
simus.

8. Et alio loco illud, quod dixi: »Sicut ait apostolus: omnis
ordo a deo est«, non eisdem verbis hoc dixit apostolus,
quamvis eadem videatur esse sententia. Ait quippe ille: quae
autem sunt, a deo ordinata sunt. Et alibi: »Prorsus«,
inquam, »nemo nos fallat: quidquid recte vituperatur, in
melioris conparatione respuitur.« Hoc de substantiis atque
naturis dictum est; inde enim disputabatur, non de bonis
actibus atque peccatis. Itemque alibi: »Sed nec sic quidem«,
inquam, »ab homine homo diligendus est, ut diliguntur
carnales fratres vel filii vel coniuges vel quique cognati aut
adfines aut cives: nam et ista dilectio temporalis est. Non
enim ullas tales necessitudines haberemus, quae nascendo et
moriendo contingunt, si natura nostra in praeceptis et imagine dei manens in istam corruptionem non relegaretur.«
Hunc sensum prorsus inprobo, quem iam et superius inpro-
bavi in primo libro de Genesi contra Manicheos. Ad hoc
enim ducit, ut credantur illi coniuges primi non generaturi
posteros homines, nisi peccassent, tamquam necesse fuerit,
ut morituri gignerentur, si de concubitu maris et feminae
gignerentur. Nondum enim videram fieri potuisse, ut non
morituri de non morituris nascerentur, si peccato illo magno
non mutaretur in deterius humana natura ac per hoc, si et in
parentibus et in filiis felicitas fecunditasque mansisset, usque
ad certum sanctorum numerum, quem praedestinavit deus,

mailändischen Märtyrer in jener Stadt sehend geworden war, desgleichen noch von einigem anderen, das sich auch heutzutage so häufig zuträgt, daß wir es gar nicht alles erfahren, oder wenn wir es erfahren, aufzählen können.

8. Jenen Satz sodann, der andernorts sich findet: »Es ist ja so, wie der Apostel sagt: Alle Ordnung stammt von Gott«,[195] hat der Apostel tatsächlich nicht mit diesen Worten ausgesprochen, doch scheint ebendies seine Meinung zu sein. Denn er schreibt: »Wo aber Obrigkeit ist, die ist von Gott verordnet.« Jene andere Aussage ferner, die ich ebenda machte: »Genug, niemand soll uns täuschen. Was mit Recht getadelt wird, erscheint nur im Vergleich mit anderem minderwertig«,[196] bezieht sich nur auf Substanzen und Naturen. Denn von ihnen war die Rede, nicht von guten Taten und Sünden. Wenn ich aber anderswo ausführte: »Auch so soll ein Mensch den Menschen nicht lieben, wie man leibliche Brüder liebt oder Gattinnen oder Verwandte, Verschwägerte oder Mitbürger. Denn da handelt sich's ebenfalls um zeitliche Liebe, und es gäbe solche Verwandtschaftsbeziehungen nicht, die durch Geborenwerden und Sterben entstehen, wenn unsere Menschennatur in den Schranken der Gebote geblieben wäre und das Ebenbild Gottes bewahrt hätte«,[197] so muß ich diese Meinung durchaus verwerfen, wie ich sie auch schon vorhin beim ersten Buch über »Die Genesis gegen die Manichäer« mißbilligt habe. Denn das läuft auf die Ansicht hinaus, daß die ersten Ehegatten keine Nachkommen erzeugt haben würden, wenn sie nicht gesündigt hätten, als ob es notwendig wäre, daß aus der Verbindung von Mann und Weib nur Sterbliche hätten erzeugt werden können. Denn ich hatte noch nicht die Möglichkeit eingesehen, daß auch Nichtsterbliche von Nichtsterblichen geboren werden konnten, wenn die menschliche Natur nicht durch jene schwere Sünde zum Schlechteren umgewandelt worden wäre. Vielmehr wäre dann bei Eltern und Kindern die Fruchtbarkeit und das Glück erhalten geblieben und wären bis zur Erreichung der von Gott vorherbestimmten

nascerentur homines non parentibus successuri morienti-
bus, sed cum viventibus regnaturi. Essent ergo etiam istae
cognationes atque adfinitates, si nullus delinqueret nullus-
que moreretur.

9. Item alio loco: »Ad unum deum tendentes«, inquam, »et
ei uni religantes animas nostras, unde religio dicta creditur,
omni superstitione careamus.« In his verbis meis ratio, quae
reddita est, unde sit dicta religio, plus mihi placuit. Nam
non me fugit aliam nominis huius originem exposuisse Latini
sermonis auctores, quod inde sit appellata religio, quod
religitur: quod verbum compositum est a legendo, id est
eligendo, ut ita latinum videatur religo sicut eligo.

Zahl Menschen geboren, nicht um ihren sterblichen Eltern im Tode nachzufolgen, sondern um mit den Lebenden zu herrschen. Es hätte also auch jene Verwandtschaften und Verschwägerungen gegeben, wenn keiner sich vergangen hätte und keiner gestorben wäre.

9. Endlich sage ich andernorts noch: »Streben wir zu dem einen Gott und bemühen uns, ihm allein, frei von allem Aberglauben, unsere Seelen zu verbinden (religantes), woher, wie man annimmt, das Wort Religion stammt.«[198] Die in diesen Worten ausgesprochene Ableitung des Wortes religio gefiel mir am besten. Doch ist mir nicht entgangen, daß lateinische Schriftsteller den Ursprung dieses Wortes auch anders erklärt haben, daß nämlich religio darum so heiße, weil sie von religere (wiederlesen, sorgfältig beachten) abzuleiten sei.

Anmerkungen

Der lateinische Text folgt der im Corpus Scriptorum Ecclesiasticorum Latinorum erschienenen kritischen Ausgabe von Wilhelm M. Green.

1 Eine mir nahestehende Plato-Forscherin bestreitet, daß Sokrates mit diesen von ihm häufig gebrauchten Schwurformeln den Götterglauben habe kritisieren wollen. Sondern als tiefreligiöser Mann vermeide er aus frommer Scheu die sonst üblichen Wendungen »bei den Göttern« oder »beim Zeus« und stehe damit in der griechischen Literatur keineswegs allein da. Das würde also dem Brauch der frommen Pharisäer entsprechen, die nicht bei Gott, sondern beim Himmel, bei der Erde, bei Jerusalem und beim eigenen Haupte schwören, oder dem des frommen Moslems, der beim Barte des Propheten schwört. Immerhin ist ein Unterschied, da zwischen Hund und Stein und der Gottheit keine Beziehung besteht. Ob nicht in den sokratischen Formeln doch ein leiser ketzerischer Spott anklingt?

2 Über Plato spricht Augustin rühmend zuerst in C. Acad. 3,37. Hier wird seine Schreibweise anders charakterisiert: *Ita locutus est, ut quaecumque diceret, magna fierent.*

3 Joh. 1,1–3.

4 Matth. 6,19–21.

5 Gal. 6,8.

6 Luk. 14,11; 18,14.

7 Vgl. Matth. 5,39.

8 Matth. 5,44.

9 Luk. 17,21.

10 2. Kor. 4,18.

11 1. Joh. 2,15 f.

12 Hier wird auf Platos späte Heirat angespielt. »Die er verwünschte« ist vielleicht späterer Einschub.

13 Im Jahre 390, also etwa zur gleichen Zeit, in der »De vera religione« entstand, bekräftigte ein Konzil zu Karthago schon früher im Abendland erlassene Verfügungen, daß der Klerus vom Subdiakonat an zum Zölibat verpflichtet sei. Im Morgenland ging man nicht so weit.

14 *Sursum corda*, uralter Aufruf zum Gebet, aufgenommen in die Präfation der Abendmahlsliturgie.

15 Es ist an die Eingeweideschau der Haruspices gedacht.

16 In ähnlicher Weise, ja noch überschwenglicher, wird die Kirche wenig früher in De mor. eccl. cath. 62 ff. verherrlicht.

17 Man beachte, daß Augustin in den Retraktationen diesen Ausspruch nicht widerrufen oder eingeschränkt hat. Vgl. hierzu Conf. 7,13–15 und die ausführliche Darstellung und Beurteilung der platonischen Philosophie im 8. Buch des »Gottesstaates«.

18 Serpentiner, griechisch Ophiten, gnostische Sekten, in deren Kult die Schlange bald als Agathodämon, bald als Kakodämon eine Rolle spielt, vgl. De gen. c. Man. 2,39.

19 Hier ist der Sinn nicht ganz klar.

20 Photinus, Bischof von Sirmium, hielt Christus für einen bloßen, vom Logos beseelten Menschen. Er wurde abgesetzt und verdammt auf dem Konzil von Sirmium 351. Vgl. Conf. 7,25.

21 So hätte Augustin später schwerlich geschrieben. Doch muß man verstehen, daß er den Satz nicht korrigierte. Denn er war zeitlebens überzeugt, daß die göttliche Vorherbestimmung den freien Willen nicht aufhebt.

22 Matth. 6,6.

23 Schade, daß Augustinus keine Namen nennt.

24 Vgl. das Nachwort.

25 Mit den zuletzt Genannten sind die Juden gemeint.

26 Man sieht, Augustins Trinitätslehre ist in den Grundzügen bereits fertig. Dies Kapitel deutet die Disposition des Buches an. Es besteht aus einem geschichtlichen, Autorität beanspruchenden und einem rationalen Teil.

27 Dies Programm katholischer Apologetik von Thomas von Aquino maßgeblich ausgeführt. Augustin kommt darauf in Kapitel 24 und 25 zurück. Wir sehen, auch was an sich rational erkannt werden kann – wie Dasein und trinitarische Struktur der Gottheit –, muß zunächst auf Grund kirchlicher Autorität geglaubt werden.

28 1. Kor. 11,19.

29 So in den vorhergehenden Schriften De gen. c. Man. und De mor. Man.

30 Retr. 12,2.

31 Vgl. Röm. 1,21–25.

32 Retr. 12,2.

33 Christus ist gemeint.

34 Retr. 12,3. Die Menschenseele, *suis peccatis obruta et implicata*, außerstande, *per se ipsam* zum *adhaerere creatori* zu gelangen, wenn ihr Gottes Erbarmen nicht *dispensatione temporali* zu Hilfe käme – damit bahnt sich die spezifisch Augustinische Sünden- und Gnadenlehre an. Ähnlich in [30]. Man beachte den begrifflichen Unterschied zwischen der »vollkommenen Religion« und der »christlichen Religion unserer Tage«.

35 Durch das göttliche Licht der Wahrheit.

36 Retr. 12,4.

37 In diesem und dem folgenden Kapitel wird die christliche Lehre vom Fall und Auferstehen des Menschen meist in stark neuplatonischer Prägung als glaubenheischendes Dogma vorgetragen. Auch die Auferstehung des Leibes, also eine genuin christliche Lehre, gehört dazu. Beim Fall des Menschen ist bald an Adams Sünde [23], bald an die Sünde eines jeden gedacht [27]. Von einem Zusammenhang zwischen jener und dieser ist nicht die Rede. In De mor. eccl. cath. 40 wird von Adams Sündenfall (*antiquum peccatum*), wodurch der Leib des Menschen zu einer schweren Fessel geworden sei, gesagt: *Quo nihil est ad praedicandum notius, nihil ad intelligendum secretius.*

38 Sap. 1,13 (Weish. Salomos).

39 Die Weltseele ist gemeint. Vgl. [110]. Sie wird in Augustins Frühschriften ausdrücklich gelehrt. Er fand sie auch bei Plotin.

40 Vgl. Gen. 2,16–17.

41 *Inferi* hier nicht die unterirdischen, sondern die irdischen und sterblichen Menschen.

42 Vgl. 1. Kor. 2,15.

43 Vgl. Matth. 22,37–39.

44 Matth. 22,40.

45 Retr. 12,4.

46 Vgl. Matth. 23,26.

47 Röm. 8,11.

48 1. Kor. 15,55.

49 1. Kor. 15,54.

50 Retr. 12,5. In diesem Kapitel wird wie in De lib. arb. 1 mit stärkstem Nachdruck und ohne Einschränkung die Willensfreiheit vertreten, eine der wichtigsten Thesen zur Abwehr des Manichäismus. Die Erbsündenlehre, die andeutungsweise schon in [19] auftauchte und in dem später entstandenen 3. Buche von De lib. arb. ausdrücklich gelehrt wird, tritt hier nicht in den Gesichtskreis. Wie not- und qualvoll ist doch das

Bemühen des alten Bischofs in den Retraktationen, die Ausführungen dieses Kapitels zu rechtfertigen!

51 Das Gutsein des Menschen also stammt von Gott. Seinsverminderung verursacht der Mensch durch sein böses Tun, in Fehlentscheidung des freien Willens. Man fragt nun, wie es mit dem Guthandeln stehe. Darauf antwortet das nächste Kapitel.

52 Nach diesem Kapitel ist vor allem der Leib des Menschen, nicht so sehr die Seele, durch den Sündenfall geschädigt. Die Seele vermag mit Gottes Hilfe – *gratia benignitatis*, nicht auf sich vertrauend, sondern sich der Lenkung und dem Schutze Gottes anheimgebend – durch Übung der vier Kardinaltugenden, Gerechtigkeit, Tapferkeit, Besonnenheit und Klugheit, dem ewigen Sein der Wahrheit sich zuzuwenden.

53 Joh. 1,14.

54 Retr. 12,6.

55 Vgl. Matth. 12,48.

56 Joh. 2,4.

57 Es liegt hiernach auf der Hand, daß Augustin Christus, wiewohl er von dessen Sühnetode und der Gabe der Sündenvergebung weiß [14], im wesentlichen als Vorbild der Selbst- und Weltverleugnung, der Demut und Geduld wertet. Man vermißt hier die Liebe.

58 Die christliche Naturlehre also: das Universum, Gott als Quell allen Seins, sowie Seele und Körper, wesenhaft gut und wohlgeordnet, auch dann, wenn Seele und Körper durch Sünde und Straffolge ihre ursprüngliche Stellung verlieren.

59 Ethik, Physik, Logik, die drei Bestandteile der Wissenschaft, vgl. De civ. Dei 8,6 ff.

60 *In scripturis sacramenta et ...*; Thimme.

61 Vgl. Conf. 3,12 ff.

62 Hier beginnt ein längerer, trotz christlicher Schöpfungslehre wesentlich neuplatonisch-spekulativer Abschnitt bis [44], der den ersten Teil der Abhandlung etwas störend unterbricht.

63 Vgl. De lib. arb. 3,20.

64 Siehe Anm. 34. Man fragt: Wie stellte Augustin sich damals das Paradies vor? Wir werden später hören, daß die paradiesische Ehe keine Fortpflanzung kannte, vgl. De mus. 6,30.

65 *Non obtemperando*; Thimme.

66 De lib. arb. 3,51 ff. spricht von ignorantia und difficultas. Die Erschwernis besteht, wie im nächsten Paragraphen angedeutet und in der etwa gleichzeitigen Schrift De gen. c. Man. 2,29 f.

ausgeführt wird, darin, daß der Mensch nach dem Sündenfall nur unter Schmerzen die fleischlichen Lüste überwindet und leicht infolge Überschätzung der irdischen Güter in Irrtum gerät. Aus diesem Ansatz konnte sich die Erbsündenlehre entwickeln, wie sie im Schlußteil von De lib. arb. 3, den Augustin als Presbyter verfaßte, in den Grundzügen bereits vorliegt.

67 Ein für Augustins Metaphysik fundamentaler Satz. Gott schafft Wesen und stattet sie auch mit Eigenschaften aus, so die menschliche Seele mit Vernunft und freiem Willen. Diesen recht zu gebrauchen oder aber zu mißbrauchen ist des Menschen Sache; Gottes Sache wiederum ist es, zu belohnen und zu strafen. Die Strafe aber schließt die difficultas ein, die Wahrheit zu erkennen und das Gute zu tun.

68 Wie es die Manichäer tun. Auch im folgenden antimanichäische Polemik.

69 Vgl. Röm. 1,25.

70 In Retr. 1,7 zu De mor. Man. bemerkt Augustin zu demselben Zitat, daß es nach dem griechischen Text, den er später kennengelernt, heißen müßte: *vanitas vanitatum*. So finde es sich auch in den besseren lateinischen Handschriften.

71 Eccl. 1,2–3.

72 So übersetze ich mit Perl das *id ipsum* von Psalm 4, vgl. Conf. 9,2.

73 Sap. 9,15. (Weish. Salomos.)

74 Um die Theodizee hat sich Augustin in seinen Frühschriften in Abwehr des manichäischen dualistischen Pessimismus immer wieder bemüht, besonders in »De ordine« und »De libero arbitrio«. Seine Abhängigkeit von stoisch-neuplatonischen Gedanken liegt auf der Hand.

75 Vgl. Anm. 64.

76 1. Kor. 3,22 f.

77 Vgl. 1. Kor. 11,3.

78 In De ord. 2,26 heißt es: *Tempore auctoritas, re autem ratio prior est*, vgl. 19.

79 Unter den »fleischlichen Formen« sind Natureindrücke und Geschichtstatsachen (einschließlich des Fleisch gewordenen Wortes) zu verstehen.

80 Vgl. Retr. 12,6. Diese etwas primitive Argumentation wird verständlich, wenn wir an Plotins schwärmerische Verehrung des Einen denken, die Augustin übernommen hat, vgl. [64] und [66].

81 Retr. 12,7. Dazu die große Wunderaufzählung in De civ. Dei 22,8.

82 Vgl. Paulus in Röm. 7.

83 Vgl. Röm. 6,6.

84 Man beachte: Schon auf der zweiten Stufe läßt der Aufstrebende die Autorität hinter sich.

85 Vgl. hiermit die Siebenstufenleitern in De quant. an. 70 ff. und De gen. c. Man. 1,43.

86 1. Kor. 15,52.

87 In diesem Kapitel können wir den Keim zu Augustins großem Werk vom »Gottesstaat« erblicken.

88 Vgl. 1. Kor. 3,2; Hebr. 5,12 ff.; 1. Kor. 2,6.

89 Hier erinnern wir uns an die sogenannte kirchliche Arkandisziplin, die im dritten Jahrhundert aufkam und gewisse kultische Formeln und Bräuche nur den Getauften zugänglich machte. Man sollte freilich meinen, die kräftigere Kost wären nicht kultische Formeln und Bräuche, sondern hohe Vernunfteinsichten.

90 Der Sinn dieses Satzes ist wohl, daß die Menschen durch den Sündenfall aus dem Paradiese auf diese unsere Erdenwelt verstoßen wurden, der sie nun als Vernunftwesen, die sie immerhin blieben, zur Zierde gereichen. Auch hier wie im Schluß des Satzes die eigentümlich ästhetische Theodizee Augustins. Die schwarze Farbe darf im Gemälde nicht fehlen. Die bedenkliche Wendung, daß die Natur im Menschen gesündigt habe, will sicher nicht bestreiten, daß die Sünde, wie oben gesagt, eine freie Willenstat ist.

91 In diesem Kapitel und später in [32] entwickelt Augustin seine idealistische Ästhetik, wie wir sie ähnlich bereits in De ord. 2, De lib. arb. 2 und De mus. 6 vorgetragen finden.

92 Das Gesetz der Künste, also das Schönheitsgesetz, heißt Wahrheit, *veritas dicitur*. Ebenso im folgenden Kapitel. Auch [72]: *Summa convenientia = veritas*. Vgl. hierzu die schönheitstrunkenen Hymnus auf die Wahrheit in De lib. arb. 2,35 ff. und Conf. 10,37 f. Diese Wahrheit aber ist Gott. Wir denken hier an den Gottesbeweis von De lib. arb. 2.

93 Vgl. hierzu Ep. 162, wo Augustin seine Schrift »De vera religione« erwähnt und bemerkt, so wenig wie 7 + 3 = 10 sein müsse, sondern 10 sei, so wenig dürfe man sagen, Gott müsse sein, sondern er sei. Ebenso De lib. arb. 2,34.

94 Epheser 3,15.

95 Joh. 5,22.
96 1. Kor. 2,15.
97 2. Kor. 5,10.
98 Also das Naturrecht (*aeterna lex*) als unwandelbare Norm und Maßstab des positiven Rechts. De lib. arb. 2,29 spricht von den regulae et lumina virtutum.
99 Vgl. Eccl. 1,2.
100 So bereits in C. Acad. 3,24 ff.
101 Hier zitiert Augustin ein sogenanntes Agraphon, ein in mehreren altkirchlichen Schriften überliefertes, nicht in den Evangelien enthaltenes Herrenwort.
102 *Inhaereamus*; Thimme.
103 Der Gottesbegriff in De ver. rel. also sowohl das wahre und höchste Sein als auch das zuhöchst Eine.
104 Vgl. Ps. 4,3–5.
105 Die Vorstellung kann als solche richtig sein. Sie wird falsch, wenn man sie für Wirklichkeit nimmt. Das taten die Manichäer mit ihren Hirngespinsten. Gegen sie richten sich diese und die folgenden Ausführungen.
106 Ich gebe der Lesart *modo* statt *animo* den Vorzug.
107 Dies Kapitel ein Musterbeispiel beseelter Augustinischer Rhetorik.
108 Ps. 46,11.
109 Matth. 11,30.
110 Joh. 1,12.
111 Vgl. Joh. 1,1.
112 Röm. 1,25.
113 Die Weltseele.
114 Vielleicht dachte Augustin hier an das allegorische Märchen seines berühmten Landsmannes Apuleius »Amor und Psyche«.
115 Die Manichäer.
116 Die Skeptiker und Epikureer.
117 Joh. 2,16.
118 Vgl. Matth. 4,1–10; Luk. 4,3–12.
119 Von den Naturwissenschaften hält Augustin nichts, während er in seinen Frühschriften oft den Wert der Geisteswissenschaften, zumal der Dialektik, hervorhebt. »Es gibt Leute, die die Tugenden vergessen und weder von Gott noch von der Würde des stets gleichbleibenden Seins wissen und meinen, etwas Bedeutendes zu leisten, wenn sie diese gesamte Körpermasse, die wir Welt nennen, mit größter Neugierde und Aufmerksam-

keit erforschen. Daraus erwächst dann solch ein Hochmut, daß
sie sogar im Himmel zu wohnen sich dünken, von dem sie so
viel disputieren. Die Seele muß diesen eitlen Gedankensport
unterdrücken, wenn sie sich aufgeschlossen für Gott halten
will.« De mor. eccl. cath. 38.

120 Vgl. Sap. 8,1. (Weish. Salomos.)

121 *Convenientia*, früher mit Symmetrie übersetzt. Hier wegen des
nachherigen *conveni cum ea* am besten ›Übereinstimmung‹.

122 Eine der unvergeßlichen Sentenzen, wie Augustin sie zu prägen
verstand. Vgl. [103] und [110], ferner De mag. 38 f. und De lib.
arb. 2,41.

123 Joh. 1,9.

124 Es ist interessant, wie diese eigentümlich Augustinische, in De
civ. Dei 11,26 wiederholte Argumentation in den Frühschriften, die sich immer wieder mit der Skepsis auseinandersetzen,
vorbereitet wird. Nach der teilweise spitzfindigen Beweisführung von C. Acad. ergibt sich, neben den Wahrheiten der
Dialektik und Arithmetik, als letzter Halt, der allem Zweifel
Trotz bietet, die Selbstgewißheit des Seins, Lebens und Denkens. So besonders De b. v. 7, Sol. 2,1 und De lib. arb. 2,7; 16
und 25. Das 39., auch stilistisch hervorragende Kapitel ist wohl
das bemerkenswerteste des ganzen Buches De ver. rel.

125 Vgl. 2. Kor. 4,16.

126 Ps. 146,5.

127 Z. B. Exodus 12,23; 1. Kor. 10,10.

128 1. Kor. 15,52.

129 Vgl. Röm. 13,1; vgl. Retr. 12,8.

130 So Cicero im Cato maior.

131 Retr. 12,8.

132 Joh. 1,9.

133 Es folgt eine neue interessante Anwendung des uns bereits
geläufigen Grundsatzes.

134 Im folgenden werden Probleme und Überlegungen modernster
Naturwissenschaft vorweggenommen.

135 Man rechnete damals den in 12 Stunden eingeteilten Tag von
Sonnenauf- bis Sonnenuntergang, so daß sich im Sommer und
Winter verschiedene Stundenlängen ergaben.

136 *Modus*, ein Begriff, dessen Sinngehalt im Deutschen kaum
wiederzugeben ist, hat bei Augustin ebenso wie *veritas* bald
logische, bald metaphysische Bedeutung. Hier wie De b. v. 34
ist *modus = summe unus* und *pater veritatis*, während *veritas*

oder *sapientia* der zweiten Person der Trinität gleichgesetzt wird.

137 Das Eine ist das Höchste, was Plotin und Augustin von Gott positiv aussagen können.

138 Vgl. das berühmte Wort am Eingang der »Konfessionen«: *Inquietum est cor nostrum, donec requiescat in te.*

139 Also Trichotomie. Der Mensch besteht aus den drei Teilen der vernünftigen Seele, der niederen, sensitiven Seele und dem Leibe.

140 Matth. 22,30.

141 1. Kor. 6,13.

142 Röm. 14,17.

143 Die Verführerin und Gebärerin Eva ist hier Sinnbild der niederen Natur, der zur Fronarbeit verurteilte Adam Sinnbild des geistigen Menschen.

144 Vgl. Matth. 22,37.

145 Röm. 13,10.

146 Retr. 12,8.

147 Hier denkt der Leser daran, daß erst vor kurzem Augustins einziger, ungewöhnlich begabter Sohn Adeodat gestorben war. In der schneidenden Schärfe der Verurteilung aller Verwandtenliebe, die Augustin beim Tode der Mutter so mühsam niederrang, zittert noch der Schmerz des väterlichen Herzens. Des Todes seines Sohnes, der noch in dem vor De ver. rel. verfaßten Dialog »De magistro« Gesprächspartner war, tut er weder brieflich noch sonst, außer in der kurzen Notiz Conf. 9,14, irgendeine Erwähnung. Ein fast unnatürliches Schweigen. Nach De mor. eccl. cath. 53 wird der wahre Weise von keinem Schmerz verwirrt und ist frei *ab omni miseria.*

148 Matth. 6,24.

149 Exodus 20,17.

150 Man liebt nicht den Menschen, wie er ist, sondern das Gottesbild in ihm, den idealen Menschen in ihm und in sich.

151 Röm. 5,3–5.

152 Wer etwa als Verbannter oder Eingekerkerter zum Frieden mit Gott gelangt.

153 Vgl. [72].

154 1. Joh. 5,21.

155 Die Epikureer und Stoiker.

156 Die Stoiker.

157 Die Manichäer.

158 Von einer Glaubenserkenntnis zu sprechen, müßte Augustin
für sinnlos erklären.

159 Exodus 3,14. Wir denken hier an Augustins geniale Analysen
und Spekulationen über Zeit und Ewigkeit im 11. Buch der
»Konfessionen«.

160 Der Sinn dieser Stelle scheint mir zu sein: Wie Gott einst zu
dem noch unreifen Volk Israel in der Wüste durch die Sinnbilder der Rauchwolke und Feuersäule usw. sprach, wobei er sich
der Vermittlung der Engel (*rationalis creatura*) bediente, so zu
uns, als wir noch unreif waren, durch die kindlich sinnbildliche
Sprache der Heiligen Schrift.

161 Man mag hier daran denken, daß die Beschneidung ein Abbild
der Taufe ist oder Melchisedek ein Abbild Christi. Auch
»*Adam per prophetiam significat Christum*« lesen wir in De
gen. c. Man. 2,37, einer Schrift, die zum Verständnis dieses
Kapitels heranzuziehen ist.

162 Nach De gen. c. Man. 1,31 sind unter den Fischen, Vögeln
usw., die der Mensch beherrschen soll, die Affekte und Gemütsbewegungen zu verstehen. Nach 2,4 ff. bedeutet das
Grün, das Gott nach Gen. 2,5 (altlateinische Übersetzung)
schuf, die Seele.

163 Der Sabbat in der Schöpfungsgeschichte, ebenso Jerusalem,
bedeuten die ewige Ruhe und Seligkeit.

164 Geschichte des alttestamentlichen Israel = Sinnbild des neutestamentlichen Gottesvolkes.

165 Adams Sündenfall typisch für unsere Sünde, De gen. c.
Man. 2,21. Oder die eherne Schlange Hinweis auf den Gekreuzigten.

166 Z. B. bedeutet *principium* in Gen. 1,1 Christus, De gen. c.
Man. 1,3.

167 Z. B. Adams und Evas Ehe ein Sinnbild (Sakrament) des Verhältnisses Christi zur Kirche, vgl. De gen. c. Man. 2,19 und
37. Augustin neigte lebenslänglich zu einer symbolischen Auffassung der Sakramente.

168 Sap. 8,1. (Weish. Salomos.)

169 Durch sich selbst = unmittelbar, aber nicht in produktivem,
sondern rezeptivem Sinne.

170 Röm. 1,20.

171 Joh. 1,9.

172 Vgl. [72].

173 Vgl. Ps. 34,9.

174 Vgl. 1. Kor. 13,9–10.
175 Vgl. Röm. 7, 23–25.
176 Der Widersacher ist nach dem Zusammenhang der Leib des
    Todes, mit dem wir uns einstweilen verständigen (so übersetze
    ich *concordare*) müssen. Eine originelle Auslegung von
    Matth. 5,25.
177 Vgl. Matth. 22,13.
178 *Vitia*; Thimme.
179 Das Gleichnis vom Schalksknecht, Matth. 25, wird seltsam
    ausgedeutet. Das eine Pfund des ersten Knechtes ist *mentis acies*
    oder *acumen intelligentiae*, die zwei Pfunde des zweiten *actio*
    und *cognitio*, die fünf Pfunde des dritten sind die fünf Sinne. Er
    ist also am schlechtesten bedacht und auf das Sichtbare sowie
    Glaube, Hoffnung und Liebe angewiesen. Die geistige Er-
    kenntnis wird ihm im Jenseits zugelegt.
180 Vgl. 1. Joh. 2,15–16.
181 Des Körpers.
182 Kurz und gut zusammengefaßt, was für Augustin damals das
    Zentrum spezifisch christlicher Verkündigung war.
183 Retr. 12,9. Dieselbe Ableitung wie in De ver. rel. schon in De
    qu. an. 80: *Est enim religio vera, qua se uni Deo anima, unde se
    peccato velut abruperat, reconciliatione religat.*
184 Gen. 1,3.
185 Der Heilige Geist als Versöhner!

Retractationes

186 De ver. rel. [18].
187 De ver. rel. [19].
188 De ver. rel. [19] fin.
189 De ver. rel. [20] fin.
190 De ver. rel. [25].
191 De ver. rel. [27].
192 De ver. rel. [31].
193 De ver. rel. [46].
194 De ver. rel. [47].
195 De ver. rel. [77].
196 De ver. rel. [78].
197 De ver. rel. [88].
198 De ver. rel. [111].

Literaturhinweise

Alfaric, P.: L'évolution intellectuelle de S. Augustin. Paris 1918.

Dörries, H.: Das Verhältnis des Neuplatonischen und Christlichen in Augustinus »De vera religione«. In: Zeitschrift für Neutestamentliche Wissenschaft 33 (1924) S. 64–102.

Theiler, W.: Porphyrios und Augustin. Halle a. d. S. 1933.

Pincherle, A.: La formazione teologica di Sant'Agostino. Rom 1947.

Maier, F. G.: Die Verwandlung der Mittelmeerwelt. Frankfurt a. M. 1976. (Fischer Weltgeschichte. Bd. 9.)

Lorenz, R.: Das vierte bis sechste Jahrhundert (Westen). Die Kirche in ihrer Geschichte. Göttingen 1971.

Brown, P.: Augustine of Hippo. A Biography. Berkeley 1967. – Dt. München 1973.

Flasch, K.: Augustin. Eine Einführung in sein Denken. Stuttgart 1980. ²1994. (Reclams Universal-Bibliothek. Nr. 9962.)

Flasch, K.: Das philosophische Denken im Mittelalter. Von Augustin zu Machiavelli. Stuttgart 1986. ²2000. (Reclams Universal-Bibliothek. Nr. 8345.)

Nachwort

Augustins kleine, aber perspektivenreiche Schrift *Über die wahre Religion* dürfte heute mehr Leser finden als noch vor Jahren. Zu eindrücklich warnt sie vor einer Verkehrung der Wertordnung. Sie beschwört, das Lebendige höher zu stellen als tote Sachen, den Geist höher zu werten als das dumpfe Leben. Sie ermahnt, die unwandelbare Wahrheit zu lieben, da sie das Licht des Geistes sei. »Geh nicht nach draußen! Tritt in dich selbst zurück! Im inneren Menschen wohnt die Wahrheit.«[1] In Krisenzeiten sind solche Forderungen wieder gefragt. Da Augustin seine Mahnungen mit einer Analyse der Hinfälligkeit aller sichtbaren Güter verknüpfte, da er anleiten wollte, mit der Macht der Gewohnheiten zu brechen und jenes »Eine« zu suchen, »im Vergleich zu dem es nichts Einfacheres gibt«,[2] da Augustin schonungslose Kritik, auch Resignation, mit dem Bewußtsein verband, den einzig richtigen Weg zum glücklichen Leben nun gefunden zu haben, finden heutige Leser sich passagenweise in dieser Mahnschrift angeredet. Werbender sind Untergangserfahrungen oder -ahnungen kaum ausgesprochen worden. Augustin malte sie auf den Goldgrund einer Metaphysik, die um das göttliche Eine und das menschliche Innere kreiste. Ein Weg nach innen, der aus einer erstarrten, späten Gesellschaft heraus zum Einen, zum Ganzen zu führen verspricht, bietet heute wieder Möglichkeiten der Identifikation. Doch empfiehlt es sich, Augustins Buch etwas mehr aus der Nähe anzusehen.

Augustins Text ist um das Jahr 390 geschrieben. 387 hatte Augustin sich taufen lassen. Er hatte sein Amt als Professor der Rhetorik in der Kaiserstadt Mailand aufgegeben und war nach einem längeren Landaufenthalt am Comer See nach

---

1 De vera rel. XXXIX. 72.
2 De vera rel. XXXV. 65. (*Unum certe quaerimus, quo simplicius nihil est.*)

Afrika zurückgereist. Mit Freunden lebte er ehelos, in einer
Art Philosophenkommune – man kann es auch ein Laienklo-
ster nennen – in Thagaste. Er hatte diese Lebensform auf
dem kleinen Besitz gegründet, den er von seinen Eltern
geerbt hatte. Seine »Bekehrung« war der Beschluß gewesen,
die christliche Dogmatik vollständig anzunehmen und auf
Ehre, Reichtum, Sexualität und Karriere zu verzichten.
Noch hatte Augustin kein kirchliches Amt. Aber man
kannte ihn in der kleinen Stadt; man sah in ihm einen aktiven
Verfechter der katholischen Kirche, die einen Kampf nach
vielen Seiten zu führen hatte – gegen die Heiden, gegen die
christlichen Donatisten und gegen die Manichäer. In diesen
Kampf griff Augustins Schrift 390 ein. Doch sprach Augustin in ihr nicht als offizieller Vertreter der Kirche. Er war
keine Amtsperson, und er wendete sich nicht an Massen. Er
stilisierte seinen Text als die Einlösung eines früheren Ver-
sprechens, das er Romanianus, einem Großgrundbesitzer
aus Thagaste, vor Jahren gegeben habe. Die Schrift erhielt
dadurch ihren persönlichen Stil und warmen Ton. Romanianus hatte sich früh für den jungen Augustin interessiert und
ihn protegiert. Romanianus hörte Augustins philosophischen Überlegungen gerne zu, und als Augustin Manichäer
wurde, gelang es ihm, Romanianus und dessen jüngeren
Verwandten Alypius zum Manichäismus zu bekehren.
Romanianus hatte, als Augustin in Mailand Professor war,
öfter in dieser Stadt zu tun, und er war bereit, mit seinem
großen Vermögen zur Gründung einer philosophischen
Kommune beizutragen. Nach Augustins »Bekehrung« entstand eine schwierige Phase in der Beziehung zwischen
beiden. Augustin widmete seinem Gönner zwar sein erstes
Buch, aber dessen Thema – die Überwindung der Skepsis –
berührte nicht die Hauptfrage, die Romanianus an seinen
früheren Bekehrer zu stellen hatte, nämlich, welche Gründe
ihn zum Verlassen des Manichäismus und zum Übertritt zur
katholischen Kirche veranlaßt hatten. Dies holte Augustin in
der veränderten Situation von 390 nach. Romanianus war

nicht der einzige, der diese Frage an Augustin richtete.[3]
Daher mußte er jetzt auf sie eingehen. Er mußte der Antwort eine Form geben, die jemanden befriedigen konnte, der
den Manichäismus kannte und der gewohnt war, sich in den
Überlegungen der spätantiken Philosophie zu bewegen. Nur
so konnte das Buch Romanianus überzeugen; nur so konnte
es auch eine Rechenschaft über Augustins eigene intellektu-
elle Entwicklung werden. Es sollte eine Argumentations-
reihe, kein biographischer Bericht sein. Das Buch mußte den
Anspruch erheben, Beweise gegen den Manichäismus vorzutragen.[4] Das Christentum war als die wahre Religion zu
erweisen, und dies in einer philosophisch einleuchtenden
Weise. Es sollte gebildeten Sympathisanten des Manichäismus und spätantiken Platonverehrern das Christentum na-
hebringen.

Die Darstellung, die Augustin vom Wesen des Christentums
gab, entsprach diesem Zweck. Sie entsprach auch seinen
eigenen Überzeugungen, wie er sie im Jahr 390 hatte. Es war
ein philosophisch moderiertes Christentum, das Augustin
seinem Gönner als Ergebnis seines langen Suchens präsen-
tierte. Das Christentum erschien als das vollendete Erbe der
klassischen griechischen Philosophie, als der zur Massenbe-
wegung gewordene Platonismus. Was Sokrates und Platon
nur zaghaft im kleinen Kreis gemutmaßt hätten, habe das
Christentum zur festen Gewißheit ganzer Völker gemacht.
Doch um das Christentum als die Realisierung des Platonismus darzustellen, mußte Augustin vom Platonismus ein
bestimmtes Bild zeichnen. Er hob hervor, daß Platon den
Unterschied von Sinnenerkenntnis und Vernunft erkannt
habe. Der Platonismus erschien als Glückseligkeitslehre und
als Ermahnung zur Umkehr. Platon hatte nach Augustin
erkannt, daß die Wahrheit, die nur mit dem Geist zu erfassen ist, uns glückselig macht, daß dies aber einen entschlos-

---

3 Zum biographischen Hintergrund vgl. Peter Brown, »Augustinus von
 Hippo«, München 1973.
4 So ausdrücklich in De vera rel. IX. 17.

senen Bruch mit dem in Begierden erstickten gewöhnlichen
Leben erfordert. Platon wollte danach nicht nur eine theoretische Einsicht mitteilen, sondern er wollte die Seelen heilen.
Sie sollten dann fähig werden, das unwandelbare wahre Sein
aller Dinge zu sehen. Dieses ist die ewige Wahrheit, die
immer mit sich identisch ist, während die Erfahrungswelt in
ständigem Fluß ist. Von der Ideenlehre sprach Augustin in
der Weise, daß die reine, unwandelbare Wahrheit auch die
eigentliche Gestalt (*forma*), das Maß und das Urbild aller
Dinge sei; er faßte also die Ideen in Gott zur Einheit
zusammen. Dies war keineswegs, wie man immer noch zur
vermeintlich größeren Ehre Augustins behauptet, ein origi-
neller Einfall Augustins; schon der heidnische Neuplatonismus hatte die Ideen als die Inhalte des Geistes Gottes
ausgelegt. Überhaupt folgte Augustin bei seiner Charakteri-
sierung der platonischen Philosophie spätantiken Mustern.
Bei diesen fehlte in der Regel die politische Philosophie
Platons und die inhaltliche Entfaltung der Dialektik; sie
nahmen Platons bewegtes Denken als Auskunft darüber,
welche Prinzipien des Kosmos es »gebe«. Mit dem Wegfall
der politischen Perspektive und dem Verzicht auf Naturfor-
schung verengte sich das Bild dieses Platonismus. Er wurde
reduziert auf eine Glücksicherungs- und Seelenlehre: Wer
sich dem Schwanken und der Täuschung der sinnlichen Welt
entzieht, wer sein Herz auf das Bleibende setzt, kann auch
im Zusammenbruch der äußeren Welt glücklich werden.
Diese Entstellung des platonischen Denkens entsprach der
spätantiken Erfahrung einer erstarrten Gesellschaft, die
durch vernünftiges Denken nicht mehr zu reformieren war.
Sie war behilflich, die Krisensymptome gedanklich zu
bewältigen, die seit dem dritten nachchristlichen Jahrhundert nicht mehr zu übersehen waren: Die Wirtschaft verlor,
zumal in der Westhälfte des Reiches, an Produktivität. Der
militärische Druck auf die riesige Grenzlinie des Westens
wuchs ständig; die Militärausgaben stiegen und waren bei
der ökonomischen Rezession nur noch mit einem aufgebläh-

ten Verwaltungsapparat einzutreiben, der einen Großteil der Steuermittel verschlang. Der individuelle Bewegungsspielraum nahm ständig ab. Die Berufe waren zu Zwangsverbänden vereinigt; die Söhne mußten – wenn sie nicht Rhetorik studierten oder Kleriker wurden – den Beruf ihres Vaters übernehmen, zusammen mit den immensen Steuerlasten. Hinzu kamen militärische Niederlagen. 378 hatte der Kaiser eine spektakuläre Schlappe erlitten; Augustin war damals 24 Jahre alt. 395, also fünf Jahre nach Abfassung unserer Schrift, besiegelte die politische Trennung der beiden Reichshälften eine Entwicklung, die ökonomisch und kulturell Rom von Byzanz immer mehr trennte. Bald wurden die Verkehrswege unsicher; die kaiserliche Verwaltung arbeitete nicht mehr effizient. Der Kaiser blieb absoluter Herrscher, aber er rückte in weite Ferne. Noch hatte er einen religiösen Nimbus. Er war das Bild und der Vertreter des Himmelskaisers. Aber in der Realität der regionalisierten Provinzen drang er nicht mehr durch. Dort rissen Großgrundbesitzer die Reste der staatlichen Macht an sich. Sie gaben den wirtschaftlichen und fiskalischen Druck nach unten weiter; Bauernunruhen in Gallien, aber auch in Augustins Afrika waren die Folgen.

In dieser Situation war der platonische Entwurf einer Gesellschaftsumwälzung aus Vernunft ohne jede Chance. Der Platonismus wurde zu einer Heilslehre für begüterte und aufgeklärte Einzelne. So stellte Augustin ihn vor, um dann die katholische Kirche zu empfehlen, weil sie die Inhalte des Platonismus auch den Volksmassen vermittle, die nicht fähig seien, sie in ihrer begrifflichen Fassung einzusehen: Christentum als Platonismus fürs Volk.[5]

Doch wenn Augustin dies einem philosophisch Gebildeten wie Romanianus und dazu noch einem von ihm selbst bekehrten Manichäer klarmachen wollte, stieß er auf eine Reihe von Schwierigkeiten. Wenn das Christentum die

---

5 Vgl. bes. De vera rel. III. 3.

bruchlose Fortsetzung des Platonismus war, wie kam es dann, daß einige Platoniker heftige Kritiker des Christentums waren? Und ferner: Wenn Platonismus und Christentum nach Augustin vor allem darin bestanden, die Verachtung des Körperlichen und die rein geistige Hinwendung zur intelligiblen Welt zu fordern, war es dann nicht konsequenter, mit den Manichäern einen prinzipiellen Dualismus zu lehren? War dieser christliche Platonismus Augustins nicht dasselbe wie eine Lehre von zwei im Konflikt stehenden Reichen? Augustin begann das Buch mit der Lösung der ersten Frage. Die zweite Frage war so prinzipieller Natur und schnitt so tief ein in sein eigenes Selbstverständnis, daß er mit ihr im ganzen Buch zu ringen hatte.

Also zunächst: Warum wurden dann nicht alle Platoniker Christen? Augustin antwortete, indem er Platon gegen die nichtchristlichen Platoniker auszuspielen versuchte. Er nahm sich nicht etwa die Schriften der platonisch inspirierten Christengegner vor, um das Verhältnis von Christentum und Platonismus zu erörtern; eine solche unparteiische Prüfung in Religionssachen war nicht sein Ziel. Die christliche Religion, seit 312 offiziell geduldet, war längst vom bedrohten Reich als Staatsreligion übernommen; Augustin argumentierte offen mit der zahlenmäßigen Übermacht und mit der polizeilich erzwungenen dogmatischen Eintracht der Christen. Er erklärte, die große Zahl der Gläubigen sei der Beweis, daß die Vorsehung dem Christentum als der wahren Religion zum Sieg verholfen habe. Die spätestens seit 300 vom Kaiser politisch erzwungene Einhelligkeit in der Orthodoxie stellte er dem Meinungschaos der Philosophen gegenüber.[6] In dieser Situation prüfte Augustin nicht die Argumente der literarischen Gegner des Christentums. Deren Werke ließ die Kirche wenige Jahre nach Augustins Religionsschrift polizeilich suchen und verbrennen. Er begnügte sich mit einer rhetorischen Frage: Hätte Platon,

6 Ebd., V. 8.

wenn er gesehen hätte, wie seine jenseitsbezogene Ethik in überfüllten Kirchen gepredigt und von vielen Zölibatären gelebt wird, Jesus als dem Gründer dieser Bewegung göttliche Ehren verweigern können? Wenn er heute wiederkäme, müßte er nicht sagen: Jetzt wird verwirklicht, was wir gedacht haben, was für die Massen durchzusetzen wir nicht den Mut und die Kraft hatten? Jetzt werden nicht nur Einzelne, sondern ganze Völker geheilt, korrigiert, diszipliniert. Die »christliche Disziplin« macht Schluß mit der Meinungsvielfalt; die platonische Schule war eine geschichtliche Inkonsequenz. Sie dachte den richtigen Weg, konnte ihn aber für die Massen nicht durchsetzen, da sie der Gewohnheit Konzessionen machte.[7] Und außerdem spielte Augustin seine Trumpfkarte aus – die berühmten Konversionen von Platonikern zum Christentum. Er wird dabei vor allem an den römischen Rhetor Marius Victorinus gedacht haben. Diese christlich gewordenen Platoniker, zu denen Augustin sich selbst rechnen durfte, beweisen nach Augustin, daß, wenn Sokrates und Platon zurückkehrten, sie nur wenige Wörter und Ansichten zu ändern brauchten (*paucis mutatis verbis atque sententiis*), um Christen zu werden.[8] Der theoretische Unterschied zwischen Platonismus und Christentum ist nach dem Augustin des Jahres 390 minimal. Dies überrascht nicht, da er der Meinung war, Platonismus wie Christentum gingen auf dasselbe aus, nämlich »diese Welt zu verachten, die Seele durch Tugend zu reinigen und dem höchsten Gott zu unterwerfen«.[9]

Augustin verschwieg nicht, daß das Christentum auch andere, schwieriger mit dem Platonismus zu verbindende Inhalte hatte. Es enthielt auch nach seiner Ansicht mehr als die neuplatonische Empfehlung, ins Innere zu gehen. Da war z. B. die unumgängliche Rolle der Autorität. Augustin bejahte sie nun, nach seiner Erfahrung mit Ambrosius. Aber

7 Ebd., IV. 6.
8 Ebd., IV. 7.
9 Ebd., IV. 6.

er deutete die Autorität als Platzhalter künftiger Einsichten, als psychologisch-pädagogische Hilfe. Sie ist ein Ersatz für die Vielen, die zu philosophischer Einsicht nicht fähig sind. Die Massen sind dann wenigstens durch Autorität und Glauben auf die jenseitige Wahrheit hingeordnet. Die Intellektuellen wie Romanianus können vieles, was der Glaube sagt, aus Eigenem einsehen. Von dem, was auch sie auf Autorität hin annehmen müssen, sehen sie ein, daß es nicht unmöglich ist und daß die Autorität Glauben verdient.[10] Augustin hatte nichts gegen ein Zweiklassensystem der christlichen Erkenntnis: Die Masse mochte sich mit dem Glauben begnügen, die Intellektuellen sollten zur Einsicht fortschreiten.[11] Die Autorität hatte dann vor allem vorbereitenden und unterstützenden Charakter.

Freilich enthielt das Christentum historische Aussagen. Es beruhte auf der Inkarnation. Es knüpfte das neue Leben an die Sakramente und an die organisierte Kirche. Augustin bestritt dies 390 nicht, doch deutete er diese faktische Seite als die Erziehung der menschlichen Gattung durch Gott. Die Inkarnation dachte Augustin als das Eintreten der Gottheit in die sichtbare Welt. Durch die Menschwerdung wollte die Gottheit uns, die wir im Sinnlichen verloren waren, zur Selbstbesinnung und zum Aufstieg zum göttlichen Einen bewegen. Das Leben Jesu sollte uns ein Beispiel sein für die richtige Moral.[12] Daß Gott Mensch wurde, sollte die erhabene Stellung anzeigen, die der Mensch in der Welt einnimmt.[13] Sogar die Frau sollte von dieser Zuwendung profitieren. Sie sollte sich nicht verachtet finden, deswegen wurde Gott von einer Frau geboren.[14] Überhaupt soll alles, was durch Gott an der Menschheit geschieht – seien es Handlungen, gleichnishafte Reden oder die Sakramente –, nichts

10 Ebd., VIII. 14.
11 Ebd., XXVIII. 51, vgl. XVI. 32 u. ö.
12 Ebd., XVI. 32.
13 Ebd., XVI. 30.
14 Ebd., XVI. 30.

anderes sein als eine Regel vernünftigen Verhaltens.[15] Das Christentum sollte von äußerlichem Kult und Aberglauben rein sein; es sollte nur zeigen, daß wir zur Freiheit berufen sind.[16] »Gott« war in diesem philosophisch gedeuteten Christentum kein Gegenspieler des Satans, kein enttäuschter Liebhaber seines erwählten Volkes und kein unberechenbar begnadender Himmelskaiser; er war die höchste und die uns innerlichste Wahrheit.[17] Ausdrücklich erklärte Augustin, Wunder seien heute nicht mehr nötig. Es darf jetzt, nachdem die Welt bekehrt und die Wendung zur intelligiblen Welt genommen ist, keine Wunder mehr geben. Sie gehörten in ein Anfangsstadium der »Erziehung des Menschengeschlechts«. Dieser Lessingsche Ausdruck charakterisiert die Religionsphilosophie Augustins von 390 treffend: Der Zweck der in der Anfangszeit des Christentums geschehenen Wunder war es, den Sinn der Menschen so sehr vom Zeitlichen zum Ewigen zu lenken, daß später keine Wunder mehr nötig wären.[18] Diese Wunder sollten die Seelen reinigen, nicht für immer die historischen Behauptungen der Autorität über die Vernunft stellen.

Es gehört zu den einschneidendsten Tatsachen in der Geschichte des christlichen Denkens, daß Augustin diese eher humanistische und symbolische Deutung des Christentums wenige Jahre nach Erscheinen seines Buches *Über die wahre Religion* aufgegeben hat. Hatte er in der Religionsschrift das Einverständnis von Philosophie und Christentum, von Vernunft und Glaube, von Freiheit und göttlicher Erleuchtung herausgestellt, so forcierte er ab 395/396 deren Gegensatz.[19] Wir können mit Sicherheit wissen, daß er die harmonisierende Religionsphilosophie von 390 später ver-

---

15 Ebd., XVII. 33. (*rationalis disciplinae regulam.*)
16 Ebd., XVII. 33. (*in libertatem vocati sumus.*)
17 Ebd., XX. 38. (*summa et intima veritas.*)
18 Ebd., XXV. 47.
19 Zum Einzelnen vgl. Kurt Flasch, »Augustin. Eine Einführung in sein Denken«, Stuttgart 1980.

Nachwort

224   Nachwort

worfen hat, denn er nahm in einer seiner letzten Schriften, den *Überprüfungen* (*Retractationes*) dazu eingehend Stellung. Er verwarf jetzt die Schrift nicht als ganze. Zur Widerlegung des Manichäismus mochte sie noch immer nützlich sein. Aber nach dem Urteil des späten Augustin war sie noch zu sehr geprägt von der Sprache und dem Geist der Philosophen. In dem Bestreben, Philosophie und Christentum zu vereinen, war das Buch von 390 über Abgründe hinweggegangen. Es fehlten die Mysterien von Gnadenwahl und Vorherbestimmung, die Augustin anläßlich einer erneuten Paulus-Lektüre ab 395 geschaffen hat. 390 lag der Akzent einseitig auf der Seite der menschlichen Freiheit. Das philosophische Ideal der bewußten Lebensgestaltung und des Aufstiegs zur intelligiblen Welt war hier christianisiert, nicht zerstört. Für den späten Augustin war das Programm einer vom Menschen ausgehenden Befreiung nichts als Hochmut. Freilich hatte Augustin 390 diesen Aufstieg unter der allesumfassenden Einwirkung der ewigen, göttlichen Wahrheit gedacht, wie es die antiken Philosophen auch getan hatten. Aber nach 396 forderte er eine spezielle, nur an eine Minderheit gerichtete Vorherbestimmung. Die Beziehungen von Wissen und Glauben, von Kultur und Christentum hatten sich nach 395 insgesamt verschlechtert. Der institutionelle Charakter des Christentums trat härter hervor. Der christliche Humanismus von 390 war Vergangenheit. Erst auf dem Hintergrund dieser Verschiebung zeigt sich die Bedeutung der Kritik, die Augustin 427 an dem Text von 390 übte. Er beanstandete im einzelnen:

1. Er habe den Begriff der »Seele« in der Diktion der Philosophen gebraucht, nicht wie die Bibel ihn verwende.[20] An einer anderen Frühschrift tadelte Augustin, er habe die »geistliche« Welt der Bibel mit der »intelligiblen« Welt der Platoniker vermengt.[21] Auch 390 fand

20 Augustinus, Retr. I 12,2.
21 Ebd., I 3,2.

sich noch diese sorglose Kombination von Platonismus und Christentum.[22]

2. Er habe gesagt, »Sünde« sei nur möglich, wenn der Wille frei ist.[23] In der Tat hatte Augustin 390 gelehrt, ohne die Vorraussetzung freien Handelns falle das Christentum. Von Sünde könne überhaupt keine Rede sein, wenn eine Handlung nicht frei gewollt worden ist. Der späte Augustin sah aber die Erbsünde als wirkliche Sünde und die ungetauften Säuglinge als wirklich schuldig an, denn er wollte die Kindertaufe als heilsnotwendig darstellen. Jetzt machte er verzweifelte verbale Anstrengungen, um auch bei Säuglingen von Sünde und wirklicher Schuld sprechen zu können. Nicht mehr Freiheit, sondern unvordenkliche Gnadenwahl war jetzt die Grundlage seines Christentums.

3. Der späte Augustin tadelte, er habe 390 Jesus gerühmt, weil dieser nie Gewalt angewendet, alles durch Überzeugen und Ermahnen erreicht habe.[24] Der greise Bischof befürwortete Gewaltanwendung in Glaubensdingen und verwarf nun die frühere Auffassung, Christus habe auf Gewaltanwendung verzichtet, habe er doch die Kaufleute mit Gewalt aus dem Tempel geworfen.

4. Die afrikanische Kirche war sehr wundergläubig, und Augustin, der längst zum Wunderglauben seiner Mutter Monnica zurückgekehrt war, wollte 427 den Wunderglauben nicht mehr auf die Anfangszeit des Christentums eingeschränkt sehen. Mit der Versicherung, er habe auch damals schon an Wunder geglaubt, versuchte er die entgegenstehenden Sätze aus der Religionsschrift zu »interpretieren«.[25]

---

22 De vera rel. IV. 6.
23 Retr. I 12,6 bezieht sich auf De vera rel. XIV. 27.
24 Retr. I 12,7 bezieht sich auf De vera rel. XVI. 31.
25 Retr. I 12,9 bezieht sich auf De vera rel. XXV. 47.

Diese vier Kritikpunkte, die der späte Augustin selbst hervorgehoben hat, geben einen ersten Einblick in den Wandel, den Augustins Denken nach 390 erfahren hat: Die Religion war 427 auf Autorität, Wunder und magische Sündenvererbung gebaut. Sie nahm, da sie das Vernunftvertrauen der früheren Schrift verloren hatte, ausdrücklich Gewaltanwendung in Anspruch. Sie wollte etwas anderes sein als die Verwirklichung des Platonismus. Rückblickend entdeckt der Leser in der Schrift von 390 neue Vorzüge. So liebenswürdig, mit so viel einfühlender Rhetorik hat Augustin später nicht mehr für das Christentum geworben.

Der Kern der Schrift *Über die wahre Religion* ist die Auseinandersetzung mit dem Manichäismus. Je mehr Augustin die Verachtung des Leibes als die gemeinsame Hauptlehre von Christentum und Platonismus herausstellte, mußte er sich fragen lassen, warum er denn dann nicht besser Manichäer geblieben wäre. Ein wichtiges Argument habe ich schon im Vorbeigehen genannt: Der Manichäismus schien Augustin jetzt die menschliche Freiheit zu zerstören. Der ethische Schwung und der ästhetische Glanz des augustinischen Christentums von 390 beruhte wesentlich auf der Erfahrung: Wir sind zur Freiheit berufen. Freilich muß man von diesem Freiheitsbegriff einige moderne Assoziationen fernhalten: Die Menschen sind Sklaven Gottes und sollen es sein. Sie sollen es nur freiwillig sein.[26] Ihr Weg ist klar vorgezeichnet; an der Hierarchie der Werte ist kein Zweifel gestattet: Wir müssen von der sinnlichen Welt weg zur ewigen. Wir müssen das Haupt beugen, nicht auf uns selbst bauen, allein Gott walten lassen. Die Ethik Augustins war 390 zwar »humanistischer« als 427. Aber humanistisch war sie nicht. Das monastische Element und die Hervorkehrung des Gehorsams waren unverkennbar.[27] Ihr lag eine rigorose Vorstellung von einer strikten Herrschaftsordnung zugrunde: Der Geist sollte über den Körper, Gott sollte über den

26 De vera rel. XIV. 27.
27 Vgl. z. B. De vera rel. LV. 119 u. ö.

Geist herrschen.[28] Herrschaft und Unterwerfung bilden den
Grundriß; nur sollten wir uns freiwillig unterwerfen. Dienst
als Weltgesetz: Die irdischen Dinge dienen der Seele, wie die
Seele Gott.[29] Der griechische Gedanke, die Sittlichkeit sei
die vollkommene Entfaltung des Lebens, liegt hier längst
nicht mehr vor. Wenn vernünftige Selbstbestimmung in der
realen Welt so wenig vermochte, wenn sie bestenfalls vorge-
zeichnete Hierarchieschemata nachvollziehen konnte, dann
konnte man auch auf sie verzichten, wenigstens in dem
Sinne, in dem der späte Augustin es tat: Er ließ seinen Gott
mit unwiderstehlichen Auswahlakten die Menschen dorthin
führen, wohin er sie wollte. Wenn doch aller Nachdruck auf
Herrschaftsordnungen lag, war dies der effizientere Weg, sie
zu garantieren. Augustin faßte in *De vera religione* an
mehreren Stellen – z. B. XXVI. 49 – eine Art Identifikation
des aufsteigenden göttlichen Intellekts mit dem göttlichen
Geist ins Auge. Für die mystische Tradition wurden dies
wichtige Hinweise: Der Aufsteigende wird am Ende des
Aufstiegs selbst das, was das Ziel des Aufstiegs war. Der
Liebende wird das Geliebte. Der Sich-Unterwerfende wird
selbst zum Gesetz. Vielleicht wollte Augustin aus dem
Manichäismus dieses Motiv herüberretten, das auch seinen
neoplatonischen Anregern entsprach. Aber inhaltlich entfal-
tet hat er diesen Aspekt nicht.

Das Hauptargument gegen den Manichäismus ist denn auch
ein anderes. Es durchzieht die ganze Schrift, verdichtet sich
aber von XXXIX. 72 ab. Augustin wollte hier zeigen, wie
die Vernunft vom Sichtbaren zum Unsichtbaren aufsteigt.
Dieser berühmte Text enthält Augustins neoplatonisieren-
den Gottesbeweis, und obwohl man oft gesagt hat, der
Neuplatonismus betreibe eine Philosophie »von oben nach
unten«, fing Augustin, ganz im Geist der neuplatonischen
Denker, vor allem Plotins, »von unten«, nämlich mit den
leblosen Dingen, an. Es gibt nach Augustin eine falsche Art,

28 De vera rel. XXIII. 44.
29 Ebd., XLIV. 82.

sich mit ihnen zu beschäftigen. Sie sind nicht wert, daß wir sie um ihrer selbst willen kennenlernen. Mit harten Schlägen verwarf Augustin hier schon das klassisch-antike Verständnis von Wissenschaft. Auch was wir heute »wissenschaftlich« nennen, z. B. die Mineralogie, war für Augustin nichts als »Neugierde« (*curiositas*). Es hat lange gedauert, bis Augustins Bannstrahl gegen die Naturwissenschaft abgebaut werden konnte. Er wollte, daß wir das Leblose nur zu dem Zweck betrachten, daß wir das Belebte als höherstehend und uns selbst als die Beurteiler dieser Rangunterschiede begreifen lernen sollten. Da das, was anderes beurteilt, höher steht als das Beurteilte, sind wir das Ranghöchste in der sichtbaren Welt. Aber wir erfahren uns als wandelbar und fehlbar. Wir kennen, wenn wir uns als wandelbar und fehlbar beurteilen, eine Beurteilungsregel für uns. Sie muß höher stehen als wir selbst. Sie ist Weisheit, »Kunst« (*ars*), Vernunft, aber dies alles unwandelbar und unfehlbar. Sie ist ein Regelkanon, dem alles unterliegt. Alles strebt danach, ihm nahezukommen. Nichts erreicht ihn vollkommen. Dieses Erstreben besteht darin, daß alle Dinge ihre Einheit wahren wollen. Sie können nicht sein, wenn sie ohne Einheit sind. Wenn die Teile der Dinge zusammenstimmen, ahmen sie die ursprüngliche, die göttliche Einheit nach. Und ganz ohne Zusammenstimmen seiner Teile kann kein Ding existieren. Es ist also nur, solange es an der Einheit teilhat. Die Einheit ist gut für die Dinge. So kann auch nichts existieren, das nicht am Guten teilhat. Es kann nichts geben, das nur schlecht wäre. Ein radikal Böses ist danach unmöglich. Ein Hauptmotiv des Manichäismus ist damit widerlegt.

Diese Argumentation macht eine Reihe von Voraussetzungen. Sie zweifelt nicht daran, ob wir den Menschen verstehen, wenn wir ihn als weltbeurteilende Instanz verstehen. Sie nimmt keinen Anstoß daran, Gott als Regelsystem zur Beurteilung der Welt zu deuten. Sie behauptet, das Böse komme vor, aber nicht als etwas, das ist, sondern nur als das Fehlen von etwas, das dasein sollte (Privationstheorie). Sie

geht davon aus, daß man etwas Sinnvolles und etwas Grund-
legendes sage, wenn man von allen Dingen behauptet, sie
hätten am Einen und am Guten teil. Dies alles sind Prämis-
sen, die Augustin aus neuplatonischen Büchern kannte. Er
nahm an, der philosophisch belesene Romanianus werde bei
ihnen keine Schwierigkeiten machen, sondern sich vom
Vielen der Sinnesdinge hinführen lassen zur Einheit des
Weltgrundes. Wir wissen nicht, ob er Romanianus überzeugt hat. Wir wissen aber, daß die Selbstverständlichkeiten
eines Neuplatonikers des 4. Jahrhunderts nicht mehr die
unsrigen sind und daß schon der späte Augustin einige von
ihnen kritischer betrachtet hat.

Dennoch ist an der augustinischen Überlegung einiges
bemerkenswert. Zunächst einmal behielt sie insofern Kon-
takt mit der sichtbaren Welt, aus der sie herausführen
wollte, als sie auch immanente Propositionen und zahlen-
hafte Strukturen der Dinge zu achten gebot. Zahlenmeta-
physik und Schönheitssinn behielten hier eine religiöse
Dignität, während Augustin von Technik und Handwerk
mit spätantiker Befangenheit verächtlich sprach.[30] Doch
brachte Augustin die Welterfahrung dadurch wiederum in
engere Verbindung zum religiösen Bewußtsein, daß er in
jedem Ding erstens die Einheit, zweitens die spezifische
(arthafte) Gestalt (*forma*), drittens die Bewegung beachtete.
Diese drei Elemente sind in jedem Ding unentbehrlich,
damit es existiere, und sie sind eins. Diese Dreieinheit in
jedem Ding beweist nach Augustin, daß die »ursprüngliche
Einheit« zugleich das Urbild oder die wahre Gestalt und die
zum Ziel lenkende Bewegung sei. Sie ist also dreieinig. Von
»drei Personen« sprach Augustin hier nicht. Auch als er es
nach 400 tat, gestand er, daß er mit diesen Vokabeln nichts
Rechtes anzufangen wisse. 390 deutete er die Trinität als die
Vereinigung des Form- und Bewegungsprinzips aller Dinge
in der höchsten Einheit.[31] Wenn aber die Welt begründet ist

30 Ebd., XXX. 54.
31 Ebd., vgl. VII. 13 u. ö.

in der dreieinigen Einheit, und wenn in den inneren Maßverhältnissen der Dinge sich die göttliche Einheit mit ihrer Dreiheit von Momenten abbildet, kurz: Wenn die Welt vor Gott und nachdenklichen Menschen *schön* ist, dann sind die sinnlichen Dinge nicht radikal schlecht. Dann ist der Manichäismus unhaltbar, auch wenn er in der Verachtung der sichtbaren Welt mit dem christlichen Platonismus Augustins zusammenstimmt. Wir müssen die sinnliche Welt verachten, auch nach Augustin. Aber nicht, weil sie böse ist. Sie ist, selbst wenn sie uns täuscht und verführt, gestalthaft und insofern gut. Aber wir sind zu Höherem bestimmt. Wenn wir unser Glück von der sichtbaren Welt erwarten, verspielen wir unseren hohen Rang und müssen unglücklich werden. So konnte Augustin in seiner Ethik radikal-asketische Motive beibehalten, ohne der Zwei-Prinzipien-Lehre der Manichäer zuzustimmen. Seine Aufmerksamkeit auf das Phänomen des »Zusammenstimmens«, seine Theorie des notwendigen Zugleich von Einheit, Form und Zielbewegung hat ihm noch einmal erlaubt, auf die sichtbare Welt einen ästhetisch anerkennenden Blick zu werfen und den radikalen Dualismus zu überwinden. Die Welt, auf die dieser Blick fiel, lag im letzten Abendlicht. Die Menschen, die sie zerstören sollten, waren schon unterwegs. Dies waren nicht nur die Barbaren, die im Norden und Nordosten bedrohlich näherrückten. Es war vor allem Augustin selbst, dessen Sinn für die wachsenden Dissonanzen der Welt wenige Jahre nach 390 dieses harmonische Ineinander von Platonismus und Christentum zerschlagen hat.

Kurt Flasch

Inhalt

Römische Literatur

IN RECLAMS UNIVERSAL-BIBLIOTHEK

Vermischte Prosa (ohne Seneca)

Antike Heilkunst. 250 S. UB 9305

Antike Zaubersprüche. Lat., gr./dt. 72 S. UB 8686

Apuleius, *Das Märchen von Amor und Psyche.* Lat./dt. 152 S. UB 486

Augustinus, *Bekenntnisse.* 440 S. UB 2792 – *De beata vita / Über das Glück.* Lat./dt. 109 S. UB 7831 – *De magistro / Über den Lehrer.* Lat./dt. 155 S. UB 2793 – *De vera religione / Über die wahre Religion.* Lat./dt. 231 S. UB 7971 – Die christliche Bildung (*De doctrina christiana*) 288 S. UB 18165

Boethius, *Trost der Philosophie.* 189 S. UB 3154

Eugippius, *Vita Sancti Severini / Das Leben des heiligen Severin.* Lat./dt. 157 S. UB 8285

Marc Aurel, *Selbstbetrachtungen.* 188 S. UB 1241

Minucius Felix, *Octavius.* Lat./dt. 184 S. UB 9860

Nepos, Cornelius, *De viris illustribus / Biographien berühmter Männer.* 456 S. UB 995

Petron, *Satyricon.* 261 S. UB 8533

Plinius der Ältere, *Naturalis historia / Naturgeschichte.* Lat./dt. 165 S. UB 18335

Plinius der Jüngere, *Briefe.* 76 S. UB 7787 – *Epistulae / Briefe.* Lat./dt. *1. Buch.* 96 S. UB 6979 – *2. Buch.* 96 S. UB 6980 – *3. Buch.* 96 S. UB 6981 – *4. Buch.* 96 S. UB 6982 – *5. Buch.* 94 S. UB 6983 – *6. Buch.* 109 S. UB 6984 – *7. Buch.* 104 S. UB 6985 – *8. Buch.* 104 S. UB 6986 – *9. Buch.* 110 S. UB 6987 – *10. Buch. Der Briefwechsel mit Kaiser Trajan.* 160 S. UB 6988 – *Sämtliche Briefe.* Geb. 925 S.

Quintilian, *Institutio oratoria X / Lehrbuch der Redekunst. 10. Buch.* Lat./dt. 160 S. UB 2956

Tacitus, *Dialogus de oratoribus / Dialog über die Redner.* Lat./dt. 117 S. UB 7700

Tertullian, *De spectaculis / Über die Spiele.* Lat./dt. 120 S. UB 8477

Philipp Reclam jun. Stuttgart